D1195791

VIVRE... SANS ALCOOL!

*"... le traitement consiste en premier lieu
à s'abstenir d'alcool..."*

American Medical Association

VIVRE... SANS ALCOOL!

Traduction de
LIVING SOBER

Droits d'auteur
Alcoholics Anonymous World Services Inc.

Distribution:
SERVICE DE LA LITTÉRATURE A.A.
DU QUÉBEC
7210, rue Saint-Denis
Montréal — Canada
H2R 2E2

Approuvé par la Conférence
des Services Généraux A.A.

Dépôt légal — 4ᵉ trimestre 1980
Bibliothèque Nationale du Québec

À propos de ce titre...

Même les mots "demeurer sobres" sans parler de l'expression "*vivre* sobres" avaient le don de nous offusquer lorsqu'au début, on nous donnait un tel conseil. Même si nous avions bu considérablement, plusieurs d'entre nous ne s'étaient jamais sentis ivres et nous étions certains de ne nous être presque jamais comportés ou affichés comme des gens ivres. Plusieurs n'avaient jamais titubé, ni trébuché, ni même jamais eu la langue épaisse; plusieurs autres n'avaient jamais causé de désordre, jamais manqué une journée de travail, jamais eu d'accident d'automobile et certainement jamais été hospitalisés ou mis en prison pour ivresse.

Nous connaissions quantité de gens qui buvaient plus que nous, et d'autres qui ne pouvaient absolument pas contrôler leurs façons de boire. Nous n'étions pas comme eux. Donc, la suggestion que nous aurions avantage à "demeurer sobres" était presqu'une insulte.

Et puis, elle paraissait par trop radicale. Comment vivre ainsi? Certainement, il n'y avait rien de mal à prendre un ou deux cocktails avant un déjeûner d'affaire ou avant le dîner. Tout le monde n'a-t-il pas le droit de prendre quelques verres pour se détendre, ou quelques bières avant le coucher?

Et pourtant, après nous être un peu instruits sur la maladie qui s'appelle l'alcoolime, notre opinion s'est modifiée. Nos yeux se sont ouverts au fait qu'apparemment, des millions de gens sont atteints de la maladie de l'alcoolisme. La science médicale ne sait en expliquer la "cause", mais les spécialistes médicaux dans le domaine de l'alcoolisme nous assurent que tout usage de boisson est source de difficultés ou de problèmes pour le buveur alcoolique. Notre expérience nous le confirme irréfutablement.

Ne pas boire du tout, c'est-à-dire demeurer sobre, devient le point de départ pour se rétablir de l'alcoolisme. Et qu'il soit souvent répété: vivre sans alcool ne se révèle pas triste et inconfortable comme nous le craignions, mais plutôt quelque chose dont nous commençons à nous réjouir et à trouver beaucoup plus excitant que lorsque nous buvions et nous vous le démontrerons.

Certains moyens pour
VIVRE... SANS ALCOOL!

Questions souvent posées par abstinents de fraîche date et pages suggérant des réponses

Pourquoi "ne pas boire"?

Nous, membres des Alcooliques Anonymes, trouvons la réponse à cette question en nous penchant honnêtement sur nos propres vies passées. Notre expérience établit clairement que le moindre usage d'alcool conduit l'alcoolique ou le buveur maladif à des ennuis sérieux. Dans les termes de la ''American Medical Association'':

> ''En plus d'avoir des propriétés asservissantes, l'acool produit aussi un effet psychologique qui affecte la façon de penser et de raisonner. Un seul verre peut modifier la perception d'un alcoolique en lui procurant l'impression qu'il peut en tolérer un autre, puis un autre, et un autre encore...
>
> L'alcoolique peut apprendre à maîtriser parfaitement sa maladie, mais il ne peut en obtenir une guérison qui lui permettrait de retourner à l'alcool sans en subir des suites fâcheuses''.*

Et nous répétons: à notre grande surprise, le fait de rester sobres n'est pas après tout cette expérience morose et lugubre à laquelle nous nous attendions! Quand nous buvions, la vie sans alcool faisait figure d'absence totale de vie. Mais pour la plupart des membres A.A., vivre sobres, c'est *vraiment* vivre une expérience agréable. Nous la préférons de beaucoup aux ennuis que nous procurait l'alcool.

Un autre point: n'importe qui peut *devenir* sobre. Nous y sommes tous parvenus à plusieurs reprises. Le hic est de demeurer et de *vivre* sobres. Voilà le sujet de cet ouvrage.

Extrait d'une déclaration officielle publiée le 31 juillet 1964.

1 Méthodes à suivre

Ce *n'est pas* dans ce petit livre que nous vous proposons une méthode de rétablissement de l'alcoolisme. Les Étapes des Alcooliques Anonymes qui résument leur programme de rétablissement sont décrites en détail dans les livres "Alcooliques Anonymes", "Les Douze Étapes" et "Les Douze Traditions". On ne donne pas ici l'inteprétation de ces Douze Étapes et l'on n'explique pas non plus les méthodes employées.

Ici, nous nous limitons simplement à décrire certaines méthodes que nous avons utilisées pour vivre *sans* boire. Vous pouvez à votre aise les essayer toutes, que vous soyez intéressés ou non au mouvement des Alcooliques Anonymes.

Notre façon de boire était reliée à plusieurs habitudes importantes ou futiles. Dans certains cas, il s'agissait de façons de penser, c'est-à-dire de choses que nous sentions à l'intérieur de nous-mêmes. Parfois aussi, il s'agissait de façons d'agir, de choses que nous faisions, de gestes que nous posions.

En nous accoutumant à ne pas boire, nous avons découvert qu'il nous fallait de nouvelles habitudes pour remplacer les anciennes.

(Par exemple, au lieu de prendre cet autre verre, celui que vous tenez à la main ou que vous vous proposez de prendre, pouvez-vous simplement le retarder jusqu'après la lecture de la page 8? Pendant que vous lirez, prenez une boisson gazeuse ou un jus de fruit plutôt que de l'alcool. Un peu plus loin, nous expliquerons plus à fond les raisons de ces changements d'habitudes).

Après avoir passé quelques mois à pratiquer ces nouvelles habitudes de sobriété ou ces façons de penser et d'agir, elles devinrent presque une seconde nature pour la majorité d'entre nous, comme l'était jadis notre habitude de boire. Ne pas boire est devenu une chose naturelle et facile et non un long et morne combat.

Ce mode de vie pratiqué au fil des heures peut facilement s'appliquer à la maison, au travail ou dans les réunions mondaines. Cet ouvrage signale aussi plusieurs choses que nous avons appris à *ne pas* faire ou à éviter. Il s'agissait de choses qui, nous le voyons maintenant, nous portaient jadis à boire ou menaçaient notre rétablissement.

Nous croyons que plusieurs ou même toutes les suggestions étudiées ici nous apporteront une aide précieuse pour vivre sobrement, avec satisfaction et confort. Il n'y a aucune importance particulière attachée à l'ordre dans lequel ce petit livre présente ces suggestions. Vous pouvez les disposer dans tout autre ordre qui vous plaise et vous soit avantageux. Il ne s'agit pas non plus d'un inventaire exhaustif de ces suggestions. Effectivement, presque tout membre A.A. pourrait ajouter au moins une bonne idée non mentionnée ici. Et vous en inventerez probablement de toutes nouvelles qui sont efficaces dans votre cas. Nous espérons que vous en ferez part à d'autres pour qu'ils en profitent à leur tour.

La fraternité A.A. ne cautionne formellement ni ne recommande à chaque alcoolique tous les moyens d'action ici énumérés. Par contre, chacune de ces pratiques s'est avérée efficace pour certains membres et pourrait vous être utile.

Ce livre s'offre comme un petit manuel pratique que l'on peut consulter de temps à autre, et non pas comme un ouvrage à être lu une seule fois pour l'oublier ensuite.

Voici deux mise en garde qui se sont avérées utiles:

A. Ayez l'esprit ouvert. Il est possible que certaines des suggestions faites ici ne vous plaisent pas. Si tel est le cas, il vaut mieux, selon notre expérience, ne pas les rejeter définitivement mais tout simplement les mettre de côté pour le moment. Si nous ne les rejetons pas d'une façon permanente, il nous sera toujours loisible de les reconsidérer plus tard et de tirer profit d'idées qui ne nous convenaient pas auparavant, suivant notre gré.

À titre d'exemple, plusieurs d'entre nous ont trouvé, dans leurs premiers jours d'abstinence, que la compagnie et les suggestions d'un parrain leur avaient été d'un grand secours pour demeurer sobres. D'autres ont voulu attendre d'avoir fréquenté plusieurs groupes et connu plusieurs membres avant de faire appel aux services d'un parrain.

Certains ont trouvé dans la prière en usage un solide appui pour ne pas boire, tandis que d'autres fuyaient tout ce qui sentait la religion. Cependant, nous sommes tous libres de changer d'avis à ce sujet ultérieurement, si nous jugeons bon de le faire.

Nous avons trouvé préférable de nous mettre le plus tôt possible à l'étude des Douze Étapes proposées comme programme de rétablissement dans le livre "Alcooliques Anonymes". D'autres ont éprouvé le besoin d'observer une certaine période de sobriété avant de s'adonner à cette étude.

Il est important de toujours se rappeler que dans A.A., il n'y a pas de "bonne" ou de "mauvaise" méthode. Chacun de nous, homme ou femme, prend ce qui lui convient le mieux sans fermer la porte à d'autres ressources qui pourraient nous paraître secourables à un autre moment. Et nous tâchons de respecter le privilège des autres de se comporter autrement.

Il arrive qu'un membre A.A. avoue qu'il préfère puiser dans le programme, à la façon d'un libre-service, diverses parties de son choix, suivant ses préférences, en ignorant le reste. D'autres viendront peut-être cueillir les éléments laissés de côté, ou peut-être ce membre reviendra lui-même plus tard aux idées qu'il avait écartées auparavant.

Néanmoins, il est bon de se rappeler qu'on peut être tenté, dans une cafétéria, de ne choisir que des desserts, des féculents, des salades ou d'autre mets qui nous plaisent davantage. Cet exemple est important pour nous rappeler de maintenir de l'équilibre dans nos vies.

Nous nous sommes rendus compte, au cours de notre rétablissement de l'alcoolisme, que nous avions besoin d'un éventail équilibré de moyens, même si certains, au premier abord, nous semblaient moins agréables que d'autres. Tout comme les bonnes idées, la fine cuisine ne nous est pas salutaire si nous en abusons. Ce qui nous amène à notre seconde mise en garde.

B. Servez-vous de votre bons sens. Nous avons constaté que, dans l'application des suggestions qui suivent, nous devons nous fier au gros bon sens de tous les jours.

Comme de toute autre bonne chose, on peut user à mauvais escient des suggestions contenues dans cet ouvrage. Prenons, par exemple, la suggestion de manger des friandises. De toute évidence, les alcooliques souffrant de diabète, d'obésité ou d'une quelconque allergie au sucre ont dû découvrir des substituts de manière à ne pas mettre leur santé en péril, tout en conservant l'illusion de *savourer* des friandises dans leur rétablissement de l'alcoolisme. (En règle générale, plusieurs nutritionistes préfèrent les mets riches en protéines aux sucreries). De plus, il n'est à conseiller à personne d'abuser de ce traitement. Nous devrions prendre des repas équilibrés en plus de manger des bonbons.

Le slogan "Agir aisément", nous en fournit un autre exemple. Certains d'entre nous ont pris prétexte de cette sage maxime pour justifier leur retard, leur paresse ou leur grossièreté. Ce n'est pas à cette fin, bien sûr, que le slogan est proposé. Appliqué à bon escient, il peut être curatif; un mauvais usage peut compromettre notre rétablissement. Certains d'entre nous y ajouteraient: "Agis aisément, oui, mais agis".

Il va de soi que nous devrons nous servir de notre jugement avant de suivre un conseil, quel qu'il soit. Chacune des méthodes décrites ici doit être utilisée judicieusement.

De plus, A.A. ne prétend à aucune expertise scientifique en matière de sobriété. Nous ne pouvons partager avec vous que notre expérience personnelle, et non des théories ou des explications professionnelles.

En conséquence, on ne trouvera pas dans ces pages quelque nouvelle formule médicale sur la façon d'arrêter de boire, si vous en êtes encore à ce stage, ni aucun secret miraculeux pour atténuer ou éviter la gueule de bois.

Il est parfois possible de devenir sobre par soi-même à la maison; mais bien souvent, l'usage prolongé de l'alcool a entraîné des complications médicales si graves qu'il vaudrait mieux avoir recours à un médecin ou à une clinique pour se désintoxiquer. Dans un cas aussi grave, il faudra faire appel à de tels services professionnels avant de pouvoir profiter des expériences proposées ici.

Toutefois, certains alcooliques qui n'étaient pas à ce point atteints ont pu récupérer d'eux-mêmes grâce au concours d'autres membres A.A. Cette expérience personnellement vécue permet souvent, à ce seul titre, de soulager quelque peu la misère et la souffrance. À tout le moins, nous comprenons. Nous sommes passés par là.

Ainsi donc, le sujet de cet ouvrage traite de *l'abstention* de boire (plutôt que de sa *cessation*). Vivre sobre, tel est son propos.

Nous avons découvert que pour nous, la réhabilitation *commençait* par l'abstention de boire en devenant sobres et en demeurant complètement abstinents de tout alcool, en quelque quantité et sous quelque forme que ce soit. Nous avons également compris que nous devions refuser toute autre drogue susceptible d'aliéner notre personnalité. Pour bénéficier d'une vie pleine et satisfaisante, il nous faut absolument demeurer sobres. La sobriété est le point de départ de notre rétablissement.

D'une certaine façon, ce livre nous montre comment apprivoiser la sobriété. (Jadis, nous n'y arrivions pas; alors, nous buvions.)

2 Éviter le premier verre

Voici quelques expressions couramment entendues dans A.A.: "Si tu ne prends pas ce premier verre, tu ne pourras pas t'enivrer", et "Un verre c'est trop; mais vingt, ce n'est pas assez."

Au tout début, quand nous avons commencé à boire, plusieurs d'entre nous ne voulaient et ne prenaient jamais plus qu'un verre ou deux. Mais avec le temps, nous en avons augmenté le nombre. Puis, plus tard, nous buvions de plus en plus, au point de nous enivrer et de demeurer constamment ivres. Notre condition n'était peut-être pas toujours apparente dans notre expression ou dans notre allure, mais nous n'étions jamais sobres pour autant.

Si l'alcool venait à trop nous affecter, nous tentions de réduire la dose, de nous limiter à un verre ou deux, ou de substituer les spiritueux à la bière ou au vin. Nous tâchions au moins de limiter la quantité, de manière à ne pas nous saouler de façon désastreuse. Enfin, nous nous efforcions de dissimuler la quantité consommée.

Mais toutes ces précautions devenaient de plus en plus pénibles. De temps à autre, nous nous imposions même un régime sec et nous cessions complètement de boire pour quelque temps.

En fin de compte, nous nous premettions un autre verre, seulement un. Et comme ce verre ne semblait pas faire de sérieux ravages, nous croyions pouvoir en prendre un autre en toute sécurité. Cette fois, peut-être en sommes-nous restés là, et nous nous sommes sentis réconfortés de voir que nous pouvions ainsi prendre un verre ou deux, puis nous arrêter. Certains ont pu répéter l'expérience à plusieurs reprises.

Mais l'expérience se révéla un piège. Elle nous donnait l'illusion de pouvoir boire sans danger. Puis vint l'occasion (un événement spécial, une perte personnelle ou même rien de particulier) où, sous l'effet de l'euphorie à la suite de deux ou trois verres, nous nous sommes crus capables d'en absorber un ou deux de plus sans dommage. Et sans aucune espèce d'intention d'en arriver là, nous nous sommes à nouveau abandonnés à l'abus de l'alcool. Nous nous retrouvions exactement au point où nous en étions jadis; nous dépassions la mesure sans vraiment le vouloir.

De telles expériences répétées nous ont amené à cette inévitable conclusion logique: si nous ne prenons pas le premier verre, jamais nous ne nous enivrerons. En conséquence, au lieu de projeter de ne plus nous enivrer, ou de tâcher de limiter le nombre de nos consommations ou la qualtité d'alcool, nous avons appris à concentrer nos efforts pour n'éviter qu'un seul verre: le premier.

En fait, au lieu de nous acharner à limiter le nombre de verres que nous pouvons prendre vers la fin d'une cuite, nous évitons celui qui suffit à tout déclencher.

Ce raisonnement nous apparaît drôlement simpliste, n'est-ce pas? Pour plusieurs d'entre nous, il est difficile de croire aujourd'hui que nous n'avions jamais vraiment découvert ce phénomène par nous-mêmes avant d'arriver à A.A. (Évidemment, pour être francs nous n'avons jamais non plus vraiment voulu arrêter de boire, jusqu'à ce que nous ayons été informés sur l'alcoolisme.) Mais l'important est ceci: nous connaissons aujourd'hui la solution.

Au lieu d'essayer de calculer le nombre de verres que nous pouvons suporter, (est-ce quatre, six, ou douze?) nous nous disons: "Ne prends tout simplement pas ce premier verre". C'est tellement plus simple. L'habitude d'une telle réflexion a permis à des centaines de milliers d'alcooliques de demeurer sobres pendant des années.

Des médecins spécialistes en alcoolisme nous affirment que l'effet du premier verre repose sur un fondement médical réel. C'est le premier verre qui déclenche, immédiatement ou plus tard, l'obsession de boire de plus en plus jusqu'à connaître à nouveau les problèmes causés par l'alcool. Plusieurs parmi nous en sont venus à croire que notre alcoolisme est une dépendance à la drogue de l'alcool; comme tous les intoxiqués qui veulent maintenir leur rétablissement, nous devons nous tenir à l'écart de la première dose du stupéfiant qui a causé notre dépendance. C'est ce que semble confirmer notre expérience, comme vous pouvez le constater en lisant le livre "Alcooliques Anonymes" et le magazine "Grapevine", et également partout où les membres A.A. se réunissent pour partager leurs expériences.

3 Utiliser le programme du 24 heures

Souvent, au cours des pires moments, nous nous exclamions: "Jamais plus!" Nous nous engagions à ne pas boire pour aussi longtemps qu'une année ou nous promettions à quelqu'un de nous abstenir de tout alcool pendant trois semaines ou trois mois. Et bien sûr, nous avons essayé de nous en abstenir totalement pendant des périodes plus ou moins longues.

Nous étions parfaitement sincères lorsque, à regret, nous étions poussés à faire de telles déclarations. De tout notre cœur, nous ne voulions plus jamais nous enivrer. Nous y étions déterminés. Nous avons juré de renoncer complètement à l'alcool, avec l'intention de nous en abstenir pour une période indéfinie.

Et pourtant, malgré nos intentions, le résultat était presque inévitablament le même. Éventuellement le souvenir de nos promesses et des tourments qui nous y avaient conduits s'estompait. Nous recommencions à boire et nous retrouvions des difficultés plus grandes encore. Notre abstinence "définitive" n'avait pas fait long feu.

Certains d'entre nous, en s'engageant ainsi, avaient une réserve personnelle: nous nous disions que notre promesse ne s'appliquait qu'à la "boisson forte", non à la bière ni au vin. Et c'est ainsi que nous avons appris, si nous ne le savions pas déjà, que la bière et le vin pouvaient tout aussi bien nous enivrer; il suffisait d'en boire davantage pour obtenir les mêmes effets qu'avec les spiritueux. Nous nous retrouvions tout aussi ivres par la bière ou le vin qu'autrefois sous l'effet de la "boisson forte".

Bien sûr, d'autres parmi nous ont tout à fait abandonné l'alcool et ont tenu leurs engagements tels que contractés jusqu'à leur limite... Nous avons alors recommencé à boire pour bientôt retrouver nos difficultés, alourdies de plus de culpabilité et de remords.

Maintenant, à l'issue de ces combats, nous essayons dans A.A. d'éviter les expressions comme "régime sec" ou "promesse de tempérance". Elles nous rappellent nos échecs.

Même si nous savons que l'alcoolisme est une maladie définitive et irréversible, notre expérience nous a enseigné à ne faire aucune promesse de sobriété à long terme. Nous avons trouvé plus réaliste et plus efficace de dire: *"Pour aujourd'hui seulement, je ne boirai pas!"*

Même si nous avons bu hier, nous pouvons projeter de ne pas boire aujourd'hui. Il se peut que nous buvions demain, sans savoir si seulement nous vivrons jusque là, mais pour le présent 24 heures, nous décidons de ne pas boire. Peu importe la tentation ou la provocation, nous sommes déterminés à faire l'impossible pour ne pas boire *aujourd'hui*.

Nos amis et nos familles sont saturés de nous entendre toujours affirmer: "Cette fois, je suis vraiment sérieux", pour nous voir ensuite revenir à la maison en titubant. Maintenant, finies les promesses de ne pas boire, tant aux autres qu'entre nous. Chacun ou chacune fait sa propre promesse. Après tout, notre propre santé et notre vie sont en jeu. C'est à nous, non à nos familles ou à nos amis, qu'il appartient de faire le nécessaire pour demeurer en santé.

Quand l'obsession de boire se fait plus pressante, il nous arrive de trancher la durée de 24 heures en périodes plus courtes: nous décidons de ne pas boire, disons pour au moins une heure. Nous pouvons toujours supporter un malaise temporaire comme celui de ne pas boire pour seulement une autre heure; puis une autre, et ainsi de suite. Plusieurs d'entre nous ont entrepris leur rétablissement précisément de cette façon. À la vérité, *il n'y a pas de rétablissement de l'alcoolisme qui ne commence par une heure de sobriété.*

Autrement dit, il s'agit de retarder le (prochain) verre.

(Qu'en pensez-vous? Vous sirotez encore votre eau gazeuse? Avez-vous vraiment remis à plus tard ce verre dont nous parlions dans le premier chapitre? Si oui, vous pouvez déjà être sur la voie de la sobriété.)

Nous pourrons nous procurer le prochain verre plus tard mais maintenant nous décidons de le reporter au moins pour aujourd'hui, ou pour un autre moment. (Disons après la lecture de ce chapitre?)

Le programme du 24 heures est très souple. Nous pouvons l'entreprendre en tout temps, où que nous soyons: à la maison, au travail, dans un bar ou dans une chambre d'hôpital, à 16 h ou à 3 h, nous pouvons décider sur-le-champ de ne pas prendre d'alcool pendant les prochaines 24 heures, ou pendant les prochaines cinq minutes.

Constamment renouvelé, ce programme élémine les faiblesses des méthodes telles que "le régime sec" ou la "promesse de tempérance." Une promesse de tempérance ou d'abstinence pour une période venait éventuellement à échéance, tel que prévu, de sorte que nous nous sentions libres de boire à nouveau. Mais aujourd'hui est toujours présent. Aujourd'hui, *c'est* la vie; aujourd'hui, c'est tout ce que nous avons; et n'importe qui peut passer une journée sans boire.

Au tout début, nous nous efforçons de vivre le moment présent seulement pour demeurer sobres et l'on y arrive. Mais une fois cette mentalité acquise, nous découvrons que cette façon de vivre en tranches de 24 heures est efficace et satisfaisante dans la solution de plusieurs autres problèmes.

4 Se rappeler que l'alcoolisme est une maladie incurable, progressive et fatale

Bien des gens dans le monde savent qu'ils ne peuvent manger certains aliments, qu'il s'agisse d'huîtres, de fraises, d'œufs, de concombres, de sucre ou d'autre chose, sans en subir de sérieux malaises, quand ils n'en deviennent pas vraiment malades.

Une personne atteinte d'une telle allergie alimentaire peut passer son temps à s'apitoyer et à se plaindre à qui veut l'entendre, gémissant sans cesse qu'elle est injustement privée de mets délicieux parce qu'ils lui sont préjudiciables.

De toute évidence, même si nous nous en sentons frustrés, nous serions mal avisés d'ignorer notre propre constitution physiologique. Si nous ne tenons pas compte de nos limites, il peut en résulter des malaises ou maladies graves. Pour être en santé et raisonnablement heureux, nous devons apprendre à vivre avec notre propre corps.

L'une des nouvelles mentalités qu'un alcoolique en voie de rétablissement doit acquérir réside dans la conviction qu'il ou qu'elle doit éviter l'usage de tout produit chimique (alcool et autres drogues qui en sont les substituts) si cette personne veut demeurer en bonne danté.

Comme preuve, rappelons-nous nos propres journées de buveurs, qui représentent au total des centaines de milliers d'années consacrées par des hommes ou des femmes à l'absorbtion d'une quantité incommensurable d'alcool. Nous savons que pendant les années où nous buvions ainsi, nos problèmes reliés à l'usage de l'alcool s'aggravaient continuellement. L'alcoolisme est progressif.

Oh! bien sûr, plusieurs d'entre nous ont connu de ces périodes où, pendant des mois ou même des années, nous avons quelquefois cru que notre façon de boire s'était en quelque sorte normalisée d'elle-même. Nous semblions capables de supporter une forte dose d'alcool à peu près sans risque. Ou bien nous demeurions sobres, exception faite de certaines soirées de libation et notre façon de boire ne semblait pas s'aggraver en apparence, pour autant que nous pouvions le constater. Rien d'épouvantable ou de dramatique n'arrivait.

Toutefois, nous le réalisons maintenant, notre problème d'alcool devenait inévitablement plus sérieux au fil du temps.

Certains médecins spécialisés en alcoolisme nous assurent qu'à n'en pas douter, cette maladie s'aggrave sans cesse à mesure que nous vieillissons. (Connaissez-vous quelqu'un qui ne vieillit pas?)

Nous sommes en plus persuadés, après maints efforts pour prouver le contraire, que l'alcoolisme est incurable, comme le sont certaines autres maladies. Ici, "incurable", signifie que nous ne pouvons changer notre équilibre chimique de manière à redevenir les buveurs sociaux, modérés et normaux que plusieurs d'entre nous semblaient être dans leur jeunesse.

Suivant une expression populaire, ce retour n'est pas plus possible pour nous qu'il ne l'est pour un cornichon de redevenir concombre. Personne parmi nous n'a pu guérir son alcoolisme par des traitements psychologiques ou pharmaceutiques.

Bien plus, à cause des milliers d'alcooliques qui n'ont *pas* cessé de boire, nous sommes profondément persuadés que l'alcoolisme est une maladie fatale. Nous avons vu beauoup d'alcooliques boire jusqu'à en mourir par suite du ''sevrage'' causant le delirium tremens (D.T.) ou les convulsions, ou succombant à une cirrhose du foie directement reliée à l'ingestion d'alcool, sans compter les nombreux décès qui ne sont pas officiellement attribués à l'alcoolisme, même s'ils en sont le résultat. Bien souvent, on attribue comme cause immédiate d'un décès un accident d'automobile, une noyade, un suicide, un meurtre, une crise cardiaque, un incendie, une pneumonie ou un infarctus, alors qu'en fait, la maladie ou l'événement fatal résulte d'une dose massive d'alcool.

À n'en pas douter , lorsque nous buvions, la plupart se sont crus à l'abri d'une telle catastrophe. Et il est probable que la majorité d'entre nous n'ont jamais frôlé les horribles stades ultimes de l'alcoolisme chronique.

Mais nous avons constaté que nous n'avions qu'à *continuer* à boire pour qu'un tel malheur nous arrive. Si vous êtes à bord d'un autobus à destination d'une ville située à mille kilomètres, c'est bien là que vous vous retrouverez, à moins que nous ne descendiez et ne preniez une autre direction.

Maintenant, que faites-vous quand vous apprenez que vous souffrez d'une maladie incurable, progressive et fatale, peu importe qu'il s'agisse d'alcoolisme ou d'une autre maladie telle qu'une affection cardiaque ou le cancer?

Bien des gens refusent tout simplement de le croire, n'en font aucun cas, refusent tout traitement, souffrent et meurent.

Mais il y a une autre façon d'agir.

Vous pouvez accepter le ''diagnostic'', persuadé par votre médecin, vos amis ou vous-même. Vous pouvez ensuite chercher les moyens à prendre, s'il y a lieu, pour ''maîtriser'' la situation, de manière à ce que, *tant que vous prendrez les précautions voulues,* vous puissiez encore jouir plusieurs années d'une vie heureuse, productive et normale. Vous reconnaissez pleinement la gravité de votre état et vous prenez les moyens nécessaires disponibles pour continuer à vivre en santé.

Dans le cas de l'alcoolisme, cette méthode est particulièrement facile à appliquer si vous voulez vraiment demeurer en bonne santé. Et puisque nous, membres A.A., avons si bien appris à profiter de la vie, nous voulons vraiment demeurer en bonne santé.

Nous tâchons de ne jamais oublier l'immuabilité de notre alcoolisme mais nous évitons de nous laisser abattre, de nous apitoyer ou d'en parler continuellement. Nous l'acceptons comme une caractéristique de notre organisme, au même titre que notre taille; il en est ainsi pour le port de lunettes ou la présence d'une quelconque allergie.

Alors, nous cherchons à savoir comment vivre confortablement et sans amertume, nous rappelant simplement que la seule chose importante est d'éviter ce *premier* verre pour aujourd'hui seulement. (Vous en rappelez-vous?)

Un membre A.A. aveugle disait que son alcoolisme ressemblait beaucoup à sa cécité. "Du moment que j'ai accepté la perte de la vue", expliquait-il, "et que j'ai suivi le programme de réadaptation qui m'était accessible, j'ai compris qu'avec l'aide de ma canne ou de mon chien, je peux me rendre partout où je veux sans trop de risques, pourvu que je tienne toujours compte du fait que je suis aveugle. Mais quand je me comporte comme si j'ignorais que je ne vois pas, c'est alors que je me blesse ou qu'il m'arrive des ennuis."

"Si vous voulez être bien", disait une femme A.A., "il suffit de vivre en suivant votre traitement, tel qu'indiqué. Cela est facile en autant que vous gardez à l'esprit les faits nouveaux concernant votre état. Qui parmi vous peut perdre son temps à cultiver l'attendrissement, l'apitoiement et la crainte de votre maladie alors que vous savez qu'il y a tant de moments agréables à se sentir heureux et en sécurité?

Nous résumons en nous rappelant que nous sommes atteints d'une maladie incurable, souvent mortelle, appelée l'alcoolisme. Et au lieu de persister à boire, nous préférons considérer et adopter des façons agréables de vivre.

Nous n'avons pas à avoir honte de notre maladie. Ce n'est pas un déshonneur. Personne ne sait exactement pourquoi certaines personnes deviennent alcooliques plutôt que d'autres. Ce n'est pas notre faute. Nous n'avons pas *voulu* devenir alcooliques. Nous n'avons pas *couru* après cette maladie.

Après tout, nous n'avons pas souffert d'alcoolisme pour le plaisir de la chose. Nous n'avons pas entrepris délibérément, malicieusement de faire ce dont nous aurions à rougir par la suite. Tout cela se faisait sous le désaveu de notre bon jugement et de nos inclinations, simplement parce que nous étions réellement malades sans même le savoir.

Nous avons appris qu'il est inutile d'entretenir de vains regrets ou des inquiétudes au sujet de l'origine de notre condition. La première chose à faire pour nous sentir mieux et pour triompher de notre mal est tout simplement de ne pas boire.

Tentez l'expérience. Ne préféreriez-vous pas admettre que votre santé est affectée mais qu'elle peut être restaurée, plutôt que de perdre un temps fou à vous torturer sur les causes de votre état? Nous avons trouvé que ces images étaient plus agréables et plus authentiques que les êtres hideux que nous avions l'habitude de voir en nous. Et c'est d'ailleurs plus conforme à la réalité. Nous le savons. Et nous en voulons pour preuve notre façon actuelle d'être, d'agir et de penser.

Toute personne intéressée à cette nouvelle manière d'être est invitée à tenter une "période d'essai gratuite". Par après, quiconque désire retrouver ses bonnes vieilles habitudes est parfaitement libre de le faire. Libre à vous de reprendre votre misère, si tel est votre désir.

D'un autre côté, il vous est également loisible de conserver votre nouvelle image. C'est votre droit le plus strict.

5 "Vivre et laisser vivre"

Le vieil adage "vivre et laisser vivre" est tellement courant que son importance peut facilement nous échapper. S'il a été si souvent répété au cours des années, c'est qu'il s'est avéré tant de fois bénéfique.

Nous, membres A.A., le mettons à profit de façons spéciales pour nous aider à ne pas boire. Il nous aide en particulier à coudoyer les gens que nous supportons difficilement.

En considérant une fois de plus quelques-unes de nos fredaines alcooliques, plusieurs d'entre nous pourront voir que très, très souvent, nos problèmes avec l'alcool semblaient être reliés d'une certaine façon à d'autres individus. Consommer de la bière ou du vin durant nos années d'adolescence paraissait naturel puisque tant d'autres personnes dont nous recherchions l'approbation s'y adonnaient. Puis il y eut des noces et des bar-mitzvahs et des baptêmes et des vacances et des matchs de football et des cocktails et des déjeûners d'affaires... et on pourrait allonger la liste. Dans toutes ces occasions, nous buvions en partie parce que tout le monde buvait et s'attendait à ce que nous en fassions autant.

Ceux d'entre nous qui ont commencé à boire seuls ou à prendre un verre en cachette de temps à autre l'ont souvent fait pour empêcher qu'une certaine personne ou les gens en général sachent combien et quand nous buvions. Nous étions rarement d'humeur à entendre les autres parler de notre façon de boire. S'ils le faisaient, très souvent nous leur donnions les raisons pour lesquelles nous buvions, comme si nous voulions nous épargner leurs blâmes ou leurs reproches.

Après avoir bu, certains d'entre nous devenaient agressifs voire même belliqueux. Par contre, il y en a d'autres qui avaient le sentiment de mieux s'entendre avec les gens après un verre ou deux, qu'il se soit agi d'une soirée mondaine, d'une vente difficile, d'une demande d'emploi ou même de relations amoureuses.

Notre habitude de boire amena plusieurs d'entre nous à choisir nos amis d'après leur propension à boire. Nous avons même changé d'amis quand nous avons cru avoir "dépassé" leur façon de boire. Nous préférions les "vrais buveurs" à ceux qui ne prenaient qu'un verre ou deux. Et nous tâchions d'éviter les abstinents.

Plusieurs d'entre nous se sentaient coupables et irrités de l'attitude de notre famille à l'égard de notre façon de boire. Certains ont même perdu des emplois parce qu'un patron ou un collègue ne tolérait par leur façon de boire. Nous souhaitions que les gens se mêlent de leurs affaires et nous laissent la paix!

Souvent, nous éprouvions de la colère et de la crainte, même envers des gens qui ne nous avaient fait aucun reproche. Nous entretenions des rancœurs et une culpabilité qui nous rendait hypersensibles à notre entourage. Parfois, nous changions de bar ou d'emploi ou nous déménagions simplement pour éviter certaines personnes.

Ainsi, jusqu'à un certain point, un grand nombre de personnes à part nous-mêmes étaient d'une façon ou d'une autre affectées par notre manière de boire.

Au début, quand nous avons cessé de boire, nous avons éprouvé un grand soulagement en constatant que les gens recontrés dans A.A., des alcooliques rétablis, ne semblaient pas avoir la même attitude. Ils ne se comportaient pas à notre égard avec critique ou méfiance, mais avec compréhension et bienveillance.

Il n'en reste pas moins tout à fait naturel de trouver encore sur notre route certaines personnes incompatibles, autant dans A.A. qu'à l'extérieur. Nous constaterons peut-être que nos amis à l'extérieur d'A.A., nos compagnons de travail et les membres de notre famille se comportent encore envers nous comme lorsque nous buvions. (Il leur faudra peut-être un peu de temps pour croires que nous avons *vraiment* cessé. Après tout, il se peut que, par le passé, ils nous aient vu très souvent cesser de boire, pour ensuite recommencer.)

Pour commencer à mettre en pratique la philosophie du "vivre et laisser vivre", nous devons admettre qu'il *y a* des gens dans A.A. Et partout ailleurs, qui émettent des opinions que nous ne partageons pas et posent des actes que nous désapprouvons. Pour notre bien-être, il est essentiel d'apprendre à vivre avec ces contradictions. C'est présisément dans de telles occasions que nous avons trouvé extrêmement avantageux de nous dire: "Bah! tant pis! vivons et laissons vivre".

En fait, A.A. recommande fortement d'apprendre à tolérer le comportement du prochain. Même s'il nous paraît tout à fait offensant ou disgracieux, ce n'est certainement pas une raison pour boire! Notre rétablissement personnel est trop important. Nous nous rappelons que l'alccolisme peut tuer et qu'en fait, il tue.

Nous avons appris qu'il est profitable de consentir un effort vraiment particulier pour comprendre les autres, spécialement ceux qui nous sont antipathiques. Dans l'intérêt de notre rétablissement, il est plus important de comprendre que d'être compris. Et ce n'est pas si difficile si nous gardons à l'esprit que, tout comme nous, les autres membres A.A. essaient également de comprendre.

D'ailleurs, parmi les membres A.A., ou ailleurs, nous rencontrerons des gens qui ne seront pas spécialement entichés de nous non plus.

Nous devons donc tous essayer de respecter le droit des autres à se comporter comme ils l'entendent (ou le doivent). Alors, nous pourrons nous attendre à ce que les autres nous traitent avec tout autant de courtoisie. Dans A.A., c'est l'habitude.

Ordinairement, les gens qui s'entendent bien entre eux dans un quartier, une compagnie, un club ou dans le mouvement, se recherchent mutuellement. Si donc nous passons notre temps avec des gens que nous aimons, nous sommes moins dérangés par ceux qui nous plaisent moins.

Avec le temps, nous en venons à éviter les gens qui nous indisposent au lieu de nous résigner à tolérer leur intrusion ou de tenter de les changer uniquement pour mieux mous *en accommoder*.

Personne parmi nous ne se souvient d'avoir été contraint de boire. Personne ne nous a jamais attachés pour nous verser de l'alcool dans le gosier. Tout comme personne ne nous a jamais violenté *physiquement* pour nous faire boire, nous essayons maintenant de faire en sorte que personne ne nous astreigne non plus à le faire *mentalement*.

Il est très facile de se servir des attitudes des autres comme alibis pour boire. Nous étions devenus experts en ce domaine. Mais en matière de sobriété, nous avons appris une nouvelle technique consistant à ne jamais entretenir de ressentiment envers une personne de façon à lui permettre de contrôler nos vies jusqu'à nous faire boire. Nous nous rendons compte que nous n'avons aucun désir de laisser personne conduire ou détruire nos vies.

Un sage de l'antiquité soutenait qu'on ne devrait jamais critiquer son prochain sans avoir parcouru un kilomètre dans ses chaussures. Ce sage conseil peut nous inspirer plus de compassion pour les êtres humains de notre entourage et, en le mettant en pratique, nous nous sentons beaucoup mieux qu'au lendemain d'une cuite.

"Laisser vivre", d'accord. Mais certains parmi nous voient autant d'importance dans la première partie du slogan: "Vivre!"

Quand nous avons adopté des méthodes nous permettant de profiter pleinement de *notre propre* vie, alors nous sommes heureux de laisser les autres vivre à leur façon. Si notre vie déborde d'intérêt et de productivité, nous n'éprouvons ni le besoin ni le désir de prendre les autres en défaut ou de nous préoccuper de leurs manières d'agir.

En ce moment précis, vous vient-il en mémoire le nom d'une personne qui vous indispose vraiment?

Si oui, tentez cette expérience. Reportez à plus tard votre pensée envers cette personne, de même que ce qui vous indispose chez lui ou chez elle. Une autre fois, si vous en avez envie, vous pourrez exploser à son sujet. Mais pour l'instant, pourquoi ne pas l'oublier pendant que vous lisez le prochain paragraphe?

Vivez! Occupez-vous de votre propre façon de vivre. Nous sommes d'avis que la sobriété nous ouvre les portes de la vie et du bonheur. Il vaut la peine de sacrifier bien des rancunes ou des disputes...Bon! Si vous n'êtes pas parvenus à chasser complètement cette autre personne de votre esprit, voyons si la prochaine suggestion pourra vous aider.

6 Se tenir occupé

Il est très difficile de rester immobile en essayant de *ne pas* faire une chose particulière ou même de *n'y pas* songer. Il est beaucoup plus facile d'agir et de poser un acte différent de celui que nous voulons éviter.

Il en est ainsi avec la boisson. Simplement essayer d'éviter de boire (ou d'y penser) ne semble pas suffisant en soi. Plus nous pensons au verre que nous essayons de tenir à distance, plus il accapare notre esprit, évidemment. Et ce 'est pas bon. Il vaut mieux s'occuper à quelque chose, n'importe quoi, qui fasse appel à notre concentration et canalise notre énergie vers la santé.

Des milliers parmi nous se sont demandés, une fois qu'ils auraient cessé de boire, ce qu'ils feraient de tous ces moments devenus disponibles. Effectivement, quand nous avons cessé, toutes ces heures que nous perdions jadis à planifier nos consommations, à nous les procurer, à les prendre et à nous remettre de leurs effets immédiats, devenaient soudainement des trous immenses et béants dans notre emploi du temps qu'il nous fallait combler d'une manière ou d'une autre.

La plupart d'entre nous avaient un travail quotidien. En dépit de cela, il restait encore de nombreuses heures ou minutes vacantes. Il nous fallut adopter de nouvelles habitudes pour remplir ces moments vides et employer l'énergie autrefois dépensée en préoccupation ou en obsession de boire.

Tous ceux qui tentent de rompre une habitude savent qu'il est plus facile de lui substituer une activité nouvelle et différente que d'interrompre tout simplement l'ancienne occupation sans la remplacer.

Les alcooliques rétablis se plaisent à affirmer que "le seul fait d'*arrêter* de *boire* n'est pas suffisant." Ne *pas boire* seulement est une attitude négative, stérile. Notre expérience nous l'a parfaitement démontré. Pour *vivre* sans alcool, nous avons compris qu'il fallait remplacer l'habitude de boire par un programme d'action positif. Il nous a fallu apprendre à *vivre* sobres.

Au début, la peur a pu pousser certains d'entre nous à se demander si peut-être nous n'avions pas un problème d'alcool. Et à court terme, la peur peut suffire à elle seule à nous empêcher de prendre un verre. Mais la peur ne peut pas engendrer un état de bonheur ou de détente, ne serait-ce que temporairement. Nous tâchons donc de cultiver un respect illimité pour la puissance de l'alcool, au lieu de la craindre, tout comme les gens observent un respect illimité pour le cyanure, l'iode ou tout autre poison. Au lieu d'être constamment hantés par la peur de ces produits, la plupart des gens respectent leurs effets sur le corps humain et sont assez intelligents pour s'abstenir de les consommer. Dans A.A., nous considérons maintenant l'alcool de la même façon et avec la même déférence. Mais, bien sûr, cette conviction repose sur l'expérience vécue plutôt que sur l'image du spectre du poison.

Puisque nous ne pouvons laisser la peur combler ces heures creuses sans boire, alors que *faire?*

Nous avons découvert un grand nombre d'activités plus ou moins utiles et profitables. En voici deux sortes suivant leur efficacité éprouvée.

A. Activités intérieures et extérieures à A.A.

Lorsque des membres A.A. d'expérience déclarent qu'ils ont trouvé profitable d'être actifs pour leur rétablissement de l'alcoolisme, ils font allusion à leurs activités exercées dans le Mouvement ou s'y rapportant.

Si vous le désirez, il vous est aussi loisible de faire la même chose avant même de décider si vous voulez ou non devenir membre A.A. Vous n'avez besoin de permission ou d'invitation de personne.

À vrai dire, avant de prendre une décision concernant votre problème d'alcool, il serait recommandable de vous intéresser au mouvement A.A. pendant quelque temps. Soyez sans inquiétude, le seul fait de vous asseoir comme observateur dans une réunion A.A. ne fait pas de vous un alcoolique ni un membre A.A., pas plus que le poulailler ne fait la poule. Vous pouvez d'abord faire une "période d'essai" ou "d'observation" d'A.A. avant de décider de votre "adhésion".

Les activités auxquelles nous participons souvent à nos débuts dans A.A. peuvent paraître plutôt insignifiantes, mais leurs résultats se sont avérés efficaces. Elles servent "d'acclimatation" en permettant une adaptation plus facile aux gens que l'on ne connaît pas.

À la fin des réunions A.A., vous remarquerez ordinairement certains participants qui s'affairent à ranger les chaises, à vider les cendriers, à disposer des tasses vides de café ou de thé.

Impliquez-vous! Vous serez peut-être surpris de l'effet que produiront sur vous ces corvées d'apparence banales. Vous pouvez aider à laver les tasses et la cafetière, à ranger la littérature ou à balayer le plancher.

Donner ainsi un coup de main dans ces petits travaux manuels *ne* veut *pas* dire que vous devenez le concierge ou le gardien du groupe. Pas du tout. Pour l'avoir fait pendant des années et pour l'avoir vu faire par plusieurs membres, nous savons que presque toute personne qui a trouvé une sobriété heureuse dans A.A., a un jour pris part aux corvées du café, des rafraîchissements et du nettoyage. Les résultats découlant de l'accomplissement de ces tâches sont concrets, bénéfiques et ordinairement surprenants.

En fait, plusieurs d'entre nous ont commencé à se sentir à l'aise dans A.A. seulement après que nous avons commencé à participer à ces simples activités. Et nous nous sommes sentis encore plus à l'aise et plus à l'abri de l'alcool et de son évocation quand nous avons accepté une petite responsabilité régulière, pas trop lourde mais précise, comme apporter les rafraîchissements, aider à leur préparation et au service, agir comme hôte à l'accueil ou accomplir d'autres tâches comme elles se présentaient. Simplement en observant les autres, vous apprendrez ce qu'il y a lieu de faire pour préparer la réunion A.A. et pour remettre tout en ordre après.

Bien entendu, personne n'est *obligé* de faire de telles choses. Dans A.A., personne n'est obligé de faire ou de ne pas faire quoi que ce soit. Mais ces petites corvées sans importance et l'engagement qu'on a pris (envers soi-même seulement) de les accomplir fidèlement ont produit chez plusieurs membres des effets positifs inespérés et continuent d'en produire. Ils contribuent à donner de la force à notre sobriété.

En continuant à fréquenter un groupe A.A., vous pourrez constater qu'il y a d'autres tâches à entreprendre. Vous constaterez que le secrétaire fait part des annonces et que le trésorier se charge de la collecte. Se dévouer dans l'un de ces postes lorsque l'on a accumulé un certain nombre de jours d'abstinence (environ 90 jours, dans la plupart des groupes), est un bon moyen d'occuper le temps que nous prenions autrefois à boire.

Si ces "emplois" vous intéressent, feuilletez un exemplaire de la brochure "Le Groupe A.A.". On y explique les tâches des "responsables" des groupes et la façon dont ils sont choisis.

Dans le mouvement, personne n'est "au-dessus" ou "au-dessous" d'un(e) autre. Il n'y a ni classes, ni couches sociales, ni hiérarchie au sein des membres. Il n'y a ni responsable attitré, ni gouvernement, ni autorité sous aucune forme. A.A. n'est pas une "organisation" au sens ordinaire de ce terme. Au contraire, c'est une fraternité de membres égaux. Chacun appelle l'autre par son prénom. Les membres assument à tour de rôle les services nécessaires aux réunions de groupes et aux autres fonctions.

Point n'est besoin de compétence professionnelle ou de formation particulière. Même si vous ne vous êtes jamais associé ou n'avez jamais été président ou secrétaire d'aucun organisme, vous pourrez constater, comme nous, qu'au sein des groupes A.A., ces tâches sont faciles à accomplir et nous rendent des services étonnants. Elles forment une base solide pour notre rétablissement.

Venons-en maintenant à la deuxième sorte d'activités qui aident à nous garder sobre.

B. Activités étrangères à A.A.

Il est étrange mais vrai qu'au début de leur sobriété, certains membres éprouvent une sorte de panne temporaire d'imagination.

Il est bizarre de constater qu'alors que nous buvions, notre imagination était incroyablement prolifique. En moins d'une semaine, nous pouvions inventer instantanément plus de raisons (excuses?) pour boire que ne peuvent le faire la majorité des gens leur vie durant. (Incidemment, il est reconnu que les buveurs normaux, c'est-à-dire non alcoolique, n'ont *jamais* besoin ni n'utilisent quelque justification particulière pour boire ou ne pas boire.)

Quand est passé le temps des justifications pour boire, il semble souvent que nos esprits font la grève sur le tas. Pour certains, il n'est pas possible d'imaginer des choses à faire sans boire! Sans doute est-ce parce que nous en avons perdu l'habitude ou parce que notre esprit a besoin d'une période de repos à la suite de l'abandon de l'alcool. Dans un cas comme dans l'autre, l'ennui finit par disparaître. Après un premier mois de sobriété, plusieurs remarquent déjà une différence notable. Après trois mois, nous semblons avoir l'esprit encore plus clair. Et au cours de notre deuxième année de rétablissement, le changement est frappant. On dirait que nous avons plus d'énergie mentale en réserve que jamais.

Mais c'est durant la période initiale de sevrage qui nous semble interminable, que nous nous exclamons: "Que pourrais-je bien faire?"

La liste suivante ne se veut qu'un début utile pour vos premières armes. On n'y trouvera rien de bien excitant ni d'audacieux, mais elle évoque certaines acitivités qui nous ont souvent servi à remplir les premières heures creuses en dehors de nos heures de travail ou de nos contacts avec des personnes non alcooliques. Nous savons qu'elles sont efficaces pour avoir nous-mêmes éprouvé les suivantes:

1. *Marcher:* spécialement dans de nouvelles directions, dans des parcs ou à la campagne; se balader tranquillement en évitant les excès.

2. *Lire:* même si nous devenons impatients lors d'une lecture exigeant beaucoup de concentration.

3. *Visiter des musées et des galeries d'art.*

4. *Faire de l'exercice:* nager, jouer au golf, faire du jogging, du yoga ou tout autre exercice recommandé par votre médecin.

5. *Entreprendre quelque corvée depuis longtemps négligée:* mettre de l'ordre dans un tiroir de bureau, classer des documents, répondre à des lettres, suspendre des tableaux ou faire toute autre chose que nous avons négligée.

Nous avons trouvé important de n'*exagérer* en rien. Il peut paraître banal d'entreprendre le ménage de toutes les garde-robes (ou de tout le grenier, du garage, du sous-sol ou de l'appartement). Mais après y avoir passé une journée complète d'un travail pénible, nous pouvons nous retrouver épuisé, sale, découragé, sans même l'avoir terminé. D'où notre recommandation: ramenez votre projet à des proportions raisonnables. Commencez, non pas à remettre toute la cuisine ou tous les classeurs en ordre, mais simplement un tiroir ou un dossier. Et faites-en un autre un autre jour.

6. *Essayer un nouveau passe-temps:* rien de dispendieux ni de très exigeant, simplement une distraction agréable et facile qui n'exige pas d'excellence ou de compétition, mais qui nous permet de profiter de nombreux moments reposants. Plusieurs membres ont choisi des passe-temps auxquels ils n'avaient jamais songé à s'adonner auparavant, comme le bridge, le macramé, l'opéra, les poissons tropicaux, l'ébénisterie, les travaux à l'aiguille, le baseball, l'écriture, le chant, les mots croisés, la cuisine, l'ornithologie, le théâtre amateur, les techniques du cuir, le jardinage, la voile, la guitare, le cinéma, la danse, le jeu de billes, les cultures naines, les collections de toutes sortes, etc. Plusieurs ont pris beaucoup de plaisir dans ces nouvelles distractions jamais imaginées dans le passé.

7. *Redécouvrir un ancien passe-temps,* excepté celui que vous connaissez bien. Peut-être avez-vous rangé quelque part, sans y retoucher depuis des années, un nécessaire de peinture à l'eau, ou de tapisserie sur canevas, un accordéon, un jeu de tennis de table ou de backgammon, une collection de bandes sonores ou des notes pour la rédaction d'un roman. Il s'en trouve parmi nous qui ont fait leur profit de ces retrouvailles, qui ont dépoussiéré ces reliques et s'y s'ont remis. Si vous jugez quelles ne cadrent plus dans vos goûts, aussi bien vous en défaire.

8. *Suivre un cours.* Auriez-vous depuis toujours voulu parler le souhaéli ou le russe? Aimé l'histoire, ou les mathématiques? Voulu connaître l'archéologie, ou l'anthropologie? Bien souvent, on peut dénicher quelque part un cours par correspondance, ou à la télévision, ou des cours pour adultes qu'on prend environ une fois la semaine (par plaisir, pas nécessairement pour les crédits). Pourquoi ne pas en essayer un? Plusieurs membres ont trouvé qu'un tel cours pouvait non seulement ajouter une nouvelle dimension à leur vie, mais aussi les orienter vers une toute nouvelle carrière.

Si l'étude devient un fardeau, abandonnez-la sans hésiter. Il est permis de changer d'avis et de renoncer à ce qui est devenu une corvée inutile. Il faut parfois du courage et beaucoup de jugement pour "lâcher", si nous renonçons à ce projet pour notre bénéfice ou s'il n'ajoute rien de positif, d'agréable ou d'enrichissant dans quelque domaine de notre vie.

9. *Accepter de servir bénévolement.* Un grand nombre d'hôpitaux, d'organismes dévoués à l'enfance, d'églises et d'autres établissements ou œuvres ont un pressant besoin de bénévoles pour toutes sortes de services. Le choix est vaste; depuis la lecture à des aveugles, jusqu'au collage d'enveloppes pour une circulaire d'église ou la cueillette de signatures sur une pétition politique. Informez-vous près de chez vous, à un hôpital, une église, une agence gouvernementale ou un club social pour découvrir les services qui ont besoin de bénévoles dans votre communauté. Nous avons appris que nous éprouvons plus de satisfaction de soi-même lorsque nous contribuons un tant soit peu au bien-être de l'humanité. Le seul fait de nous mettre à la recherche de tels engagements est déjà, en soi, enrichissant et intéressant.

10. *Améliorer notre apparence personnelle.* Il nous arrive de nous négliger un peu trop. Une nouvelle coiffure, quelques vêtements neufs, de nouvelles lunettes, ou même une nouvelle prothèse dentaire peuvent nous transformer. Bien souvent, nous avons songé à des projets semblables et nos premiers mois de sobriété furent l'occasion toute désignée pour les exécuter.

11. *Se payer un brin de fantaisie!* Tout ce que nous faisons ne doit pas nécessairement être un acte de dépassement personnel, bien que de tels exercices gardent toujours leur valeur et contribuent fortement à nous redonner confiance. Plusieurs membres considèrent important de compenser certaines périodes sérieuses par des moments de pur divertissement. Aimez-vous les ballons? les zoos? la gomme à bulles? les films des frères Marx? la musique ''soul''? la science-fiction ou les romans policiers? les bains de soleil? la motoneige? Dans la négative, recherchez d'autres distractions étrangères à l'alcool, pour le seul plaisir qu'elles apportent et amusez-vous sobrement. Vous le méritez bien!

12. _____
C'est à votre tour d'inventer. Espérons que la liste précédente a fait jaillir une idée différente des nôtres... Oui! Et bien bravo! À vous de jouer!

Un petit conseil, toutefois: nous reconnaissons avoir une tendance à exagérer et à entreprendre trop à la fois. Le moyen de freiner ces élans vous sera expliqué au chapitre 18. Il s'intitule: ''Agir aisément''.

7 Dire la prière de la sérénité

Sur les murs de milliers de salles de réunions A.A., on peut lire, dans l'une ou l'autre d'au moins cinq langues, l'invocation suivante:

"Mon Dieu, Donnez-moi la sérénité
d'accepter les choses que je ne peux changer,
le courage de changer les choses que je peux,
et la sagesse d'en connaître la différence."

A.A. n'est pas à l'origine de cette prière. Au cours des siècles, il semble qu'elle a été utilisée en différentes versions dans plusieurs religions, et elle est encore largement en usage, tant à l'extérieur qu'à l'intérieur de notre Fraternité. Quelle que soit notre religion, que nous soyons humanistes, agnostiques ou athées, nous avons trouvé que les paroles de cette prière étaient un guide précieux pour devenir sobres, le demeurer et être heureux dans notre sobriété. Que nous voyions dans la Prière de la Sérénité une authentique prière ou simplement un cri du cœur, elle n'en demeure pas moins un guide sûr pour maintenir l'équilibre de notre vie émotive.

En tête de liste des "choses que nous ne pouvons changer", nous avons inscrit: notre alcoolisme. Quoi que nous fassions, nous savons que demain nous ne deviendrons pas soudainement non-alcooliques, pas plus que nous n'aurons perdu dix années de vie ou gagné quinze centimètres de taille.

Il est impossible de changer notre alcoolisme. Nous ne nous sommes pas contenté de dire pour autant: "Très bien, je suis un alcoolique. Je suppose qu'il ne me reste plus qu'à boire jusqu'à en mourir". Il restait quand même quelque chose que nous pouvions changer. Rien ne nous obligeait à être des alcooliques ivres. Nous pouvions devenir des alcooliques sobres. Certainement, il fallait du courage. Et nous avions besoin d'un éclair de *sagesse* pour comprendre que c'était possible, que nous pouvions nous changer.

Pour nous, tel fut le premier et le plus évident bienfait de la Prière de la Sérénité. Plus nous sommes éloignés de notre dernier verre, plus elle devient, dans ses quelques lignes, chargée de sens et d'attrait. Nous pouvons nous en servir dans les situations de tous les jours, celles-là mêmes qui avaient l'habitude de nous projeter vers la bouteille.

Prenons un exemple: "Je déteste cet emploi. Dois-je le subir ou puis-je le quitter?" Il suffit d'un simple raisonnement. "Eh bien! si je pars, il se peut que les prochaines semaines ou les prochains mois soient pénibles, mais si j'ai la force d'affronter ces moments difficiles, "le courage de changer", j'ai confiance d'améliorer ma situation."

Ou on pourrait répondre: "Il faut être réaliste. Il n'est pas question de partir en quête d'un emploi avec une famille sur les bras. De plus, selon l'avis de mes amis A.A., je ne devrais pas, après six semaines de sobriété, prendre une décision importante susceptible de changer ma vie, mais plutôt m'efforcer de m'abstenir du premier verre jusqu'à ce que je redevienne plus lucide. Donc, en ce moment, il n'est pas opportun de changer d'emploi. Mais je peux sans doute changer mon attitude. Voyons voir: comment pourrais-je apprendre à accepter sereinement cet emploi?"

Ce mot "sérénité" nous est apparu impossible d'accès quand nous avons découvert cette Prière. En fait, si, par sérénité, on entendait indifférence, résignation amère ou souffrance stoïque, alors nous n'en voulions certainement pas. Mais nous nous sommes aperçus que tel n'était pas le sens de la sérénité. Quand nous l'entendons maintenant, nous comprenons plutôt qu'il s'agit d'une attitude lucide et réaliste à l'égard du monde, doublée d'un sentiment de paix et de force intérieure, la sérénité est comparable à un gyroscope qui nous permet de conserver notre équilibre, même au milieu d'un vent violent. *Voilà* un état d'esprit souhaitable.

8 Modifier nos anciennes habitudes

Nos vies ont été étroitement tissées à partir de certains horaires, lieux coutumiers et activités déterminées, entièrement liés à nos habitudes de boire. Ces anciennes habitudes telles la fatigue, la faim, la solitude, la colère et une vie sociale excessive se sont avérées être de sérieuses embûches pour notre sobriété.

Au début de notre sobriété, plusieurs d'entre nous ont trouvé utile de reconsidérer les circonstances entourant notre façon de boire et, dans la mesure du possible, nous avons modifié bon nombre de petites choses reliées à l'alcool.

À titre d'exemple: ceux qui d'habitude commençaient leur journée par un verre d'alcool dans la salle de bain se dirigent maintenant dans la cuisine pour y boire une tasse de café; d'autres ont modifié leurs habitudes matinales, prenant leur petit déjeûner avant de faire leur toilette et de s'habiller, ou vice versa... Il y en a aussi qui ont acheté une nouvelle marque de crème dentifrice ou de rince-bouche (attention à la teneur en alcool!) pour commencer la journée avec une haleine fraîche. Nous avons fait quelques exercices physiques ou de courts moments de méditation ou d'introspection avant d'entreprendre la journée.

Plusieurs d'entre nous ont appris à modifier leur itinéraire pour aller au travail le matin, en évitant le chemin de la buvette coutumière. Il s'en est aussi trouvé qui ont choisi le train plutôt que leur automobile, leur bicyclette plutôt que le métro, ou la marche plutôt que l'autobus. D'autres ont changé de compagnons de voyage.

Peu importe que nous ayons eu l'habitude de boire dans le bar du train, au cabaret du quartier, dans la cuisine, au club ou à la station de service, chacun peut facilement repérer son endroit de prédilection. Que nous ayons été des buveurs occasionnels ou assidus, il nous a été facile de reconnaître nous-même les jours, les heures et les occasions les plus souvent reliés à nos abus d'alcool.

Pour nous dispenser de boire, nous avons découvert qu'il était salutaire de modifier *toutes* nos habitudes et de changer le décor. Les maîtresses de maison, par exemple, soutiennent qu'il est bon de changer l'heure et le lieu de leurs courses et de réaménager l'horaire de leurs besognes quotidiennes. Les travailleurs habitués à se précipiter vers la première buvette lors de la pause café restent sur place pour prendre du café ou du thé avec une brioche. (C'est d'ailleurs le moment tout indiqué pour téléphoner à un camarade qui est aussi au régime sec. Il est réconfortant de s'entretenir avec une personne qui a vécu les mêmes expériences que vous à l'époque où elle buvait.

Ceux d'entre nous qui étaient confinés à l'hôpital ou en prison quand ils sont devenus sobres s'efforcèrent de modifier leur itinéraire quotidien afin de rencontrer le ''contrebandier'' de la maison le moins souvent possible.

Pour certains, le déjeûner se transformait en libations généreuses pendant une heure ou deux. Au début de notre sobriété, il est prudent d'aller déjeûner ailleurs plutôt que de retourner au restaurant habituel où les garçons de table ou de bar étaient familiers avec nos goûts sans que nous ayons à les exprimer; et il est particulièrement recommandable de prendre le repas avec d'autres non buveurs. ''Éprouver notre force de volonté'' sans nécessité semble ridicule lorsqu'il s'agit de notre santé. Au lieu de cela, nous nous efforçons de rendre nos nouvelles habitudes de santé aussi faciles que possible.

Plusieurs d'entre nous en avons déduit qu'il fallait éviter, au moins pour un certain temps, la compagnie de nos copains au coude trop léger. S'il s'agit de vrais amis, ils se réjouissent volontiers des soins que nous portons à notre santé et ils respectent notre droit d'agir à notre guise, tout comme nous respectons leur privilège de boire, s'ils le désirent. Par contre, nous avons appris à nous méfier des gens qui persistent à nous inciter à boire. À notre avis, ceux qui nous aiment réellement nous encouragent à persévérer.

À dix-sept heures ou après le travail, plusieurs ont pris l'habitude de s'arrêter dans un casse-croute pour prendre une bouchée. Nous prenons ensuite un chemin différent pour rentrer à la maison, de façon à contourner nos anciens postes de ravitaillement. Si nous voyageons par train, nous évitons le wagon du bar et descendons par la porte la plus éloignée de la taverne familière du quartier.

En arrivant à la maison, au lieu de sortir verres et glaçons, nous allons changer de vêtements, puis nous prenons soit du thé ou un jus de fruit ou de légumes, ou encore nous faisons la sieste; nous relaxons quelques minutes soit en prenant une douche, soit en lisant un livre ou un journal. Nous avons appris à changer notre menu pour le composer uniquement d'aliments dépourvus d'alcool. Si, après le repas, nous avions l'habitude de boire en regardant la télévision, nous avons constaté qu'il valait mieux changer de pièce et opter pour d'autres activités. Si nous attendions que tout le monde soit au lit pour boire, nous avons tenté, ou de nous coucher plus tôt, ou de prendre une marche, de lire, d'écrire ou de jouer aux échecs.

Les voyages d'affaires, les weekends, les congés, le terrain de golf, le stade de baseball et de football, les parties de cartes, la piscine ou le chalet de ski, pour nous, équivalaient à des beuveries. Il en allait de même pour les amateurs d'embarcations qui passaient leur été à boire à terre aussi bien que sur l'eau. Au début de notre sobriété, nous avons trouvé salutaire, pour un temps, d'organiser nos voyages ou nos vacances différemment. Il est plus facile de choisir d'autres lieux de vacances et de nous lancer dans de nouvelles expériences exemptes d'alcool, ne serait-ce que par esprit d'aventure, que d'y résister sur un bateau, au milieu de gens assoiffés de bière, de Collins, de Sangria ou de grogs au rhum.

Que faire lorsque nous sommes invités à un cocktail où l'unique intérêt se réduit à l'alcool? Puisque, comme buveurs, nous étions passés maître dans l'art d'inventer des excuses nous avons eu recours à notre habileté pour refuser poliment le verre présenté. (Quant aux réceptions auxquelles nous ne pouvons nous dérober, nous soumettons des suggestions déjà éprouvées, au chapitre vingt-six.)

En devenant sobres, nous sommes-nous débarrassés des boissons alcooliques disséminées dans nos dépendances? Oui et non.

La plupart de ceux qui ont réussi à ne pas boire estiment qu'au début, c'est une sage précaution que de vider toutes ses caches, même les plus discrètes, si on arrive à les retrouver. Mais les opinions sont partagées quant aux autres bouteilles de vin ou d'alcool.

Certains soutiennent que la disponibilité de l'alcool n'a pas été plus responsable de nos excès que le manque de provisions temporaire le fut de notre abstinence. Selon certaines gens, pourquoi devrions-nous vider un bon Scotch dans l'évier ou autrement en disposer, alors que nous vivons dans une société alcoolisée et qu'il nous est impossible de supprimer à jamais la présence de breuvages alcooliques. Ils poursuivent en ajoutant qu'il faut conserver les provisions pour en servir aux invités et apprendre à les oublier dans l'intervalle. Telle est leur expérience.

En grande majorité, les autres estiment qu'il est parfois incroyablement facile de boire par impulsion, presque inconsciemment et sans même l'avoir voulu. Dans le cas où, manquant d'alcool, nous devons sortir pour en acheter, nous avons alors une chance de réaliser ce que nous allons faire et de choisir plutôt de *ne pas* boire. Les tenants de cette opinion déclarent qu'à leur avis, les précautions valent mieux que les regrets. En conséquence, ils ont disposé de toutes leurs provisions sans rien garder, tant que leur sobriété ne s'est pas affermie. Encore actuellement, ils n'achètent que la quantité nécessaire pour leurs invités occasionnels.

Vous pouvez donc faire votre choix. C'est *vous* qui connaissez votre comportement passé vis-à-vis l'alcool et vos dispositions actuelles envers la sobriété.

Ces petites modifications d'habitudes énumérées dans ce chapitre peuvent paraître ridiculement banales en elles-mêmes. Toutefois, nous pouvons vous assurer que prises globalement, elles nous ont procuré un élan merveilleusement puissant vers une santé nouvelle et florissante. Libre à vous de bénéficier aussi d'un tel stimulant.

9 Manger ou boire quelque chose, de préférence sucré

Aurait-on idée de boire un whisky soda aussitôt après un lait malté au chocolat? ou une bière à la suite d'un gâteau glacé?

Si la nausée ne vous empêche pas de poursuivre votre lecture, vous conviendrez que ces mélanges sont plutôt disparates.

Nous nous proposons donc de vous entretenir de notre expérience à ce sujet. Certains membres ont constaté que tout aliment sucré, qu'il s'agisse d'un repas ou d'un casse-croûte, semble atténuer quelque peu l'envie de boire. C'est pourquoi nous aimons nous rappeler de temps en temps que la fringale est dangereuse.

Serait-ce pure imagination que d'affirmer qu'un ventre vide succombe plus facilement à l'envie de boire? C'est au moins plus évident.

Ce livre s'appuie sur notre expérience personnelle plutôt que sur des recherches scientifiques. Nous ne pouvons expliquer ce phénomène de façon précise et en termes techniques. Nous nous contentons de répéter que des milliers d'entre nous, même ceux qui n'ont jamais été friands de sucreries, ont découvert que leur consommation les protégeait contre l'envie de boire.

N'étant ni médecins ni spécialistes en alimentation, nous ne pouvons recommander à personne de se munir en tout temps d'une tablette de chocolat contre une éventuelle obsession de boire. Il y en a plusieurs qui le font, mais d'autres ont de sérieuses raisons médicales pour supprimer le sucre. Par contre, il y a toujours sur le marché des fruits frais et des substituts solides ou liquides du sucre, de sorte qu'il est possible de satisfaire un tel *goût*.

Nous croyons qu'il existe autre chose que le simple goût pour réprimer une obsession de boire. Le même résultat peut être obtenu en adoptant de nouvelles activités physiques, en se déplaçant pour se servir une boisson gazeuse, un verre de lait ou un jus de fruits, à moins que l'on préfère des biscuits ou de la crème glacée.

En fait, plusieurs alcooliques ont constaté qu'au début de leur sobriété, ils étaient beaucoup plus sous-alimenté qu'ils ne le croyaient. (Et cette condition se retrouve à tous les niveaux économiques.) C'est la raison pour laquelle les médecins recommandent à plusieurs un supplément de vitamines. Plus d'un aussi se sont rendus compte qu'ils avaient besoin d'une nourriture plus abondante et la consommation de toute nourriture saine leur est physiologiquement bénéfique. Un hamburger, du miel, des arachides, des légumes crus, du fromage, des noix, des crevettes froides, des jellos, des menthes, en somme, tout ce que vous aimez. Vous pouvez satisfaire tous les goûts qui ne vous sont pas réfractaires.

Les alcooliques de sobriété récente, quand on leur suggère de manger au lieu de boire, se demandent souvent quel cas fait-on de leur embonpoint? À notre avis, cet état de chose arrive plutôt rarement. Plusieurs perdent un poids superflu lorsqu'ils remplacent les calories de l'alcool par une nourriture saine, alors que d'autres reprennent des kilos nécessaires.

Pour sûr, les "friands" de crème glacée et de friandises verront se développer ici et là, au cours de leurs premiers mois de sobriété, quelques bourrelets répartis aux mauvais endroits, comme d'habitude. Mais il semble que c'est payer peu cher pour se libérer de l'alcoolisme actif. Il vaut mieux être un peu joufflu ou agréablement grassouillet plutôt que saoul, n'est-ce pas? Avez-vous déjà entendu dire qu'on risquait de se faire arrêter pour "obésité au volant"?

De toute façon notre expérience démontre qu'avec un peu de patience et de bon jugement, le problème du poids finit ordinairement par se résoudre de lui-même. Si ce n'est pas le cas, ou si vous souffrez d'un problème sérieux et chronique d'obésité ou de maigreur, vous devriez consulter un médecin spécialisé, non seulement en diététique, mais aussi bien informé en alcoolisme. Nous n'avons jamais relevé de conflit entre l'expérience A.A. et les sages conseils dispensés par un médecin familier avec l'alcoolisme.

En conséquence, à la prochaine tentation de boire, il serait prudent de manger un peu ou de prendre un breuvage sucré. Cette suggestion vous permettra au moins de reporter le premier verre d'une heure ou deux, de façon à franchir une autre étape vers le rétablissement... peut-être celle qui est proposée dans le prochain chapitre.

10 Pratiquer la "thérapie du téléphone"

Dans nos premières tentatives de sobriété, il nous est arrivé de boire sans préméditation, et parfois même à notre insu. Consciemment, nous n'avions aucunement projeté de boire, ni prévu les conséquences possibles d'un tel geste. Nous n'avions aucunement l'intention de déclencher une cuite prolongée.

Maintenant nous avons compris que différer notre premier verre en le remplaçant par autre chose nous procure l'occasion de *réfléchir* sur nos expériences de l'alcool, sur la maladie de l'alcoolisme et sur les conséquences probables d'un premier verre.

Fort heureusement, s'il nous est loisible d'y réfléchir, il nous est aussi possible d'agir. C'est alors que nous téléphonons. À notre arrivée dans A.A., on nous a incités à maintes reprises à noter des numéros de téléphone de membres A.A., et à les appeler au lieu de boire.

Au début, l'idée de téléphoner à une nouvelle connaissance, à quelqu'un que nous connaissions à peine, nous paraissait étrange et nous rendait hésitant. Mais les membres A.A., particulièrement les plus anciens, maintenaient instamment cette suggestion. Ils disaient comprendre nos hésitations, car ils en avaient eu de semblables. néanmoins, disaient-ils, faites-en *l'essai,* au moins une fois.

De sorte que c'est par milliers que nous avons tenté l'expérience. À notre grand soulagement, elle s'avéra facile, agréable et surtout efficace.

La façon la plus rapide de comprendre cette expérience, avant d'en faire l'essai consiste à vous substituer mentalement au destinataire de l'appel. Il se sentira réconforté et reconnaissant de votre témoignage de confiance. Ainsi, il sera presque toujours gentil, voire même charmant, souvent heureux et aucunement surpris d'avoir de vos nouvelles.

Il y a plus. Tentés de boire, nous avons réalisé que nous pouvions téléphoner à un membre plus ancien sans nécessairement avoir à mentionner que nous avions soif. Souvent, il comprenait implicitement. *Peu importait l'heure de l'appel, de jour comme de nuit!*

Parfois, sans raison apparente, nous étions soudainement et sans explication victimes d'une crise tout à fait inexplicable d'anxiété, de peur, de terreur, et même de panique. (Bien sûr, quantité d'autres êtres humains y sont exposés, pas uniquement les alcooliques.)

Quand nous avons dévoilé ouvertement nos sentiments véritables, nos activités et nos projets, nous avons toujours été parfaitement compris. Nous n'avons pas reçu simplement de la sympathie, mais une compassion totale. Nous nous rappelons que ceux à qui nous avons téléphoné s'étaient, un jour ou l'autre, trouvés dans la même situation et ils en avaient tous conservé de vifs souvenirs.

Plus souvent qu'autrement, il a suffi de quelques moments de conversation pour dissiper notre envie de boire. Parfois, nous avons reçu différentes suggestions aimables, tantôt pratiques, avisées et discrètes, ou tantôt fermes, directes et amicales. Il nous est aussi arrivé de nous surprendre à rire de nous-mêmes.

On observe chez les alcooliques rétablis un vaste réseau de rapports sociaux amicaux reliant les membres A.A. entre eux, même en dehors des réunions A.A., et souvent sans qu'il soit fait mention d'alcool. Sans qu'il soit nécessaire de prendre un seul verre, nous avons constaté que nous pouvons entretenir ensemble une vie sociale aussi active et satisfaisante que celle des amis ordinaires, à savoir: écouter de la musique, causer, aller au théâtre ou au cinéma, dîner ensemble, faire du camping, de la pêche, du tourisme, ou simplement nous visiter ou communiquer par écrit ou par téléphone.

Ce genre de relation et d'amitié prend une importance capitale pour ceux qui décident de ne pas boire. Nous sommes libres d'être nous-mêmes au milieu de gens qui, comme nous, ont le souci de conserver une sobriété heureuse tout en étant dépourvus de tout fanatisme au sujet de l'alcool.

Bien sûr, il est possible de demeurer sobres au milieu d'alcooliques non rétablis et également avec les gros buveurs, même si leur société peut parfois nous incommoder. Mais avec d'autres alcooliques devenus sobres, nous sommes assurés que notre rétablissement personnel est hautement compris et apprécié. Notre sobriété est aussi chère à ces amis que leur santé l'est pour nous.

Nous commençons à apprécier notre sobriété lorsque nous avons l'occasion, comme nouveaux membres, de la partager avec de récents arrivés. Au début, il nous apparaît un peu maladroit de vouloir nous lier d'amitié avec des membres sobres depuis longtemps. Nous sommes généralement plus à l'aise avec ceux qui, comme nous, sont au début de leur sobriété. Voilà pourquoi nos premiers appels téléphoniques au sujet de notre rétablissement sont dirigés vers nos "contemporains" dans A.A.

Il n'est pas nécessaire de connaître un individu en particulier pour recourir à la "thérapie du téléphone". Comme presque tout annuaire téléphonique aux États-Unis et au Canada (et dans plusieurs autres pays) contient un numéro au nom d'A.A., il est facile de le composer pour entrer aussitôt en contact avec un interlocuteur sincère et compréhensif. Il peut s'agir d'un parfait étranger qui nous accueille néanmoins avec une profonde compassion.

Dès qu'on a fait un premier appel, il est facile, beaucoup plus facile d'en faire un autre à l'occasion. Petit à petit, le besoin de repousser une envie de boire en bavardant finit par disparaître complètement. Nous découvrons alors que nous avons contracté l'habitude de ces contacts téléphoniques amicaux et nous la conservons parce qu'elle nous est agréable.

Elle ne vient qu'avec le temps. Au début, nous recourons à la "thérapie du téléphone" pour demeurer sobres. Nous remplaçons l'alcool par le téléphone. Elle sera efficace, en dépit de nos doutes et de notre volonté.

11 Prendre un parrain

Pas tous les membres A.A. ont bénéficié d'un parrain. Mais des milliers d'entre nous avoueront qu'ils ne seraient pas vivants aujourd'hui sans l'amitié très spéciale d'un alcoolique rétabli, au cours des premiers mois et des premières années de leur sobriété.

Aux tout premiers jours de notre Fraternité, le terme "parrain" ne faisait pas partie du vocabulaire A.A. Mais bientôt, certains hôpitaux à Akron, Ohio, ainsi qu'à New York, se mirent à accepter des alcooliques comme patients (sous ce diagnostic), *à la condition* qu'un membre A.A. rétabli accepte de "parrainer" cet homme ou cette femme malade. Le parrain conduisait le patient à l'hôpital, homme ou femme, le visitait régulièrement, était présent au moment de son départ, le ramenait chez lui pour le conduire ensuite à une réunion A.A. À cette même réunion, le parrain présentait le nouveau membre à d'autres alcooliques heureux et sobres. Tout au long des premiers mois de rétablissement, le parrain demeurait disponible aussi souvent que nécessaire soit pour répondre à des questions, soit pour écouter ses confidences.

Le parrainage s'avéra une façon tellement efficace d'aider les gens à s'intégrer à A.A. qu'il finit par devenir un usage répandu dans le monde A.A., même lorsque l'hospitalisation n'est pas nécessaire.

Le parrain est souvent la première personne à rendre visite à un buveur maladif dans le besoin, ou le premier alcoolique rétabli à s'entretenir avec la personne qui se présente à un poste d'accueil A.A., ou encore le membre A.A. qui accepte de jouer ce rôle auprès d'un alcoolique sur le point de recevoir son congé d'un centre de désintoxication ou de réhabilitation, d'un hôpital ou d'une maison de correction.

Dans les réunions A.A., on recommande souvent au débutant de se trouver un parrain et, s'il est d'accord, il lui est loisible de prendre celui de son choix.

Les services d'un parrain sont principalement recommandés parce qu'il agit comme un conseiller amical auprès du débutant pendant ses premiers jours et ses premières semaines, alors qu'A.A. est encore étrange et nouveau pour lui, et avant qu'il soit certain de son orientation personnelle. De plus, un parrain est en mesure de vous consacrer plus de temps et beaucoup plus d'attention personnelle que ne pourrait le faire un consultant professionnel. Les parrains font des visites à domicile, même la nuit.

Si vous avez un parrain, voici des suggestions qui pourraient vous servir. Rappelez-vous qu'elles résultent de l'expérience de milliers de membres A.A., acquise pendant de très nombreuses années.

A. Il est généralement préférable d'être parrainé par une personne du même sexe. Cette suggestion élimine la possibilité d'une folle aventure sentimentale, qui pourrait compliquer affreusement, sinon détruire la relation parrain-débutant. Expériences faites, nous avons conclu que sexe et parrainage font un très mauvais mélange.

B. Que nous aimions ou non ce que notre parrain nous recommande (et les parrains ne peuvent faire plus que recommander; jamais ils ne peuvent forcer ni empêcher quelqu'un d'agir) il faut reconnaître qu'il est sobre depuis plus longtemps que nous, qu'il connaît les écueils à éviter, et qu'il peut avoir raison.

C. Un parrain A.A. n'est pas un thérapeute ni un conseiller professionnel d'aucune sorte. Ce n'est pas une personne qui prête de l'argent ou procure des vêtements, du travail ou de la nourriture. Ce n'est pas un expert médical ni un spécialiste dans les domaines religieux, légal, domestique ou psychiatrique, bien qu'un bon parrain puisse convenir de discuter confidentiellement de ces matières et souvent suggérer certaines sources compétentes d'assistance professionnelle.

Un parrain est simplement un alcoolique rétabli qui peut aider à résoudre un seul problème: comment rester sobre. Et le parrain n'a qu'un outil à sa disposition: son expérience personnelle et non pas une sagesse fondée sur la science.

Les parrains *sont passés* par là, et souvent ils ont à notre endroit plus de considération, d'espoir, de compassion et de confiance que nous en avons nous-mêmes. Chose certaine, ils ont plus d'expérience. Se rappelant leur propre condition, ils se *dévouent* pour aider, non pour nous humilier.

Il est reconnu que les alcooliques ne devraient jamais garder pour eux leurs secrets intimes, surtout s'ils impliquent leur responsabilité personnelle. les confidences à notre sujet nous protègent et sont un antidote merveilleux contre toute tendance à l'apitoiement excessif et à l'égocentrisme. Un bon parrain est une personne à qui nous pouvons nous confier et révéler tout ce que nous avons sur le cœur.

D. Il est agréable mais non indispensable d'avoir un parrain qui, outre la sobriété, a quelqu'affinité avec nous de par sa formation et ses intérêts. Il arrive souvent, cependant que le meilleur parrain diffère totalement de son filleul. Les appariements parrain-filleul qui semblaient les plus improbables sont parfois ceux qui ont le mieux réussi.

E. Comme à peu près tout le monde, les parrains ont probablement des obligations de famille ou d'emploi. Si, à l'occasion, un parrain peut quitter son travail ou son domicile pour secourir un nouveau membre en difficulté, par contre, à d'autres moments, il ne sera naturellement pas disponible.

Voilà pour nous l'occasion de faire appel à notre imagination pour substituer un recours équivalent à celui de notre parrain. Si nous désirons sincèrement de l'aide, nous en trouverons malgré la maladie de notre parrain ou son absence temporaire, ou pour toute autre raison.

Nous pouvons participer à une réunion A.A. du voisinage. Nous pouvons lire une publication A.A. ou un autre ouvrage déjà trouvé utile. Nous pouvons téléphoner à d'autres alcooliques rétablis que nous avons rencontrés, même si nous ne les connaissons pas très bien, ou encore au bureau d'intergroupe ou de service A.A. le plus rapproché.

Même si la seule personne que nous ayons pu retracer nous est totalement étrangère, nous sommes assurés de trouver en tout membre A.A. un intérêt sincère et un véritable désir de nous aider. Si nous révélons vraiment l'objet de notre désarroi, nous pouvons compter sur une compréhension sincère. Parfois, nous obtenons le réconfort requis de certains alcooliques rétablis demeurés indifférents jusqu'alors. Même si ce sentiment est mutuel, toutes les divergences superficielles et banales s'estompent lorsque, pour notre sobriété, nous faisons appel à un autre alcoolique rétabli.

F. Certains croient qu'il est recommandable d'avoir plus d'un parrain, de sorte qu'il y en ait toujours au moins un qui soit disponible. Cette suggestion procure un avantage additionnel mais par contre, elle comporte aussi un certain risque.

D'un côté, trois ou quatre parrains offrent un éventail plus vaste d'expériences et de connaissances que ne pourrait offrir une seule personne.

D'un autre côté, se pourvoir de plusieurs parrains risque de nous ramener aux anciennes habitudes de notre passé alcoolique. Afin de nous protéger et d'éliminer toute critique à l'égard de notre habitude de boire, nous changions souvent nos versions des événements, suivant les individus. Nous en sommes même venus à manipuler les gens, de manière à ce qu'ils soient amenés à excuser notre façon de boire, ou même à l'encourager. Cette inclinaison, même inconsciente, était généralement dépourvue de toute mauvaise foi. Mais elle s'intégra à notre personnalité lorsque nous buvions.

Profitant d'une kyrielle de parrains, nous nous sommes surpris à les mettre en contradiction, changeant notre version des faits suivant que l'on s'adressait à l'un ou à l'autre. Les parrains n'étant pas du genre naïf, ce manège ne fonctionne pas toujours. Ayant eux-mêmes épuisé presque toutes les tactiques de l'alcoolique assoiffé, ils ne tombent pas facilement dans le panneau de telles supercheries. Mais on peut parfois jouer le jeu assez longtemps pour amener un parrain à en contredire directement un autre. Peut-être manigançons-nous de façon à obtenir les réponses *désirées* plutôt que les réponses appropriées. Ou, du moins, nous interprétons les propos de nos parrains au gré de nos désirs.

Une telle conduite semble refléter plus notre maladie qu'une recherche honnête de secours à notre rétablisssement. C'est nous, les nouveaux venus, qui sommes les plus affectés par ce comportement. En conséquence, si nous avons plus d'un parrain, il serait sage de demeurer sur le qui-vive et en état d'alerte, de façon à nous prendre en main si jamais nous jouons ce petit jeu au lieu d'essayer de promouvoir directement notre progrès personnel.

G. Étant eux-mêmes des alcooliques rétablis, les parrains ont aussi leurs propres qualités et leurs propres faiblesses. À note connaissance, un parrain (ou tout autre être humain) sans imperfection ou faiblesse n'est pas encore né.

Il est possible, bien que rare, que par un conseil erroné, un parrain nous désoriente ou nous donne un faux renseignement. Comme nous le savons tous par expérience, même avec les meilleures intentions, les parrains peuvent se tromper.

Vous pouvez probablement deviner ce qui va suivre... Aucune excuse, même la *conduite regrettable d'un parrain ne peut justifier le premier verre*. La main qui porte le verre à vos lèvres n'en est pas moins la vôtre.

Plutôt que de critiquer le parrain, nous avons trouvé au moins une trentaine d'autres méthodes pour demeurer sobres. Elles sont toutes exposées dans les autres chapitres de ce manuel.

H. Vous ne contractez aucune obligation envers votre parrain pour les services qu'il vous rend. Il le fait parce qu'en aidant ainsi les autres, nous contribuons à notre propre sobriété. Vous êtes libre d'accepter ou de refuser le secours. Vous ne vous endettez pas en l'acceptant.

Les parrains ne font pas preuve de bonté ou de fermeté pour s'en glorifier ou par goût pour les "bonnes œuvres". Un bon parrain retire autant de bienfaits de son action que le membre parrainé. Vous vous en rendrez compte vous-même dès *votre* premier parrainage.

Un jour, ils se peut que vous vouliez rendre la pareille. C'est le seul remerciement que vous devez.

I. Si nécessaire, un parrain bien avisé peut, comme un bon parent, laisser le nouveau membre agir par lui-même, le laisser commettre ses propres erreurs, le voir rejeter les avis donnés sans en éprouver ni colère ni mépris. Un parrain avisé met tout en œuvre pour résister à la vanité ou à la susceptibilité dans ses interventions.

Et les meilleurs parrains sont très heureux lorsque le nouveau venu devenant plus autonome, peut s'affranchir du parrainage non pas parce qu'il est tenu d'agir complètement seul mais parce que vient un jour où même l'oiselet doit voler de ses propres ailes et fonder sa propre famille.

12 Prendre beaucoup de repos

Il y a au moins trois raisons qui empêchent les grands buveurs de se rendre compte de leur fatigue. Elles sont toutes trois caractéristiques de l'alcool qui, (1) est plein de calories génératrices d'énergie instantanée, (2) engourdit le système nerveux central, atténuant ainsi les malaises physiques, (3) une fois passé l'effet anesthésique, produit une agitation *ressemblant* à une énergie nerveuse.

Quand nous arrêtons de boire, l'effet stimulant peut persister quelques temps, provoquant de l'agitation et de l'insomnie. On nous pouvons prendre soudain conscience de notre fatigue et nous sentir épuisés et léthargiques. Ou encore, les deux états peuvent se succéder.

Dans les deux cas, il s'agit de réactions normales que des milliers de membres ont connues au tout début de leur sobriété, à des intensités variant selon la façon dont nous avions bu et selon l'état général de notre santé. L'une et l'autre finissent par disparaître et ne doivent pas nos inquiéter.

Mais il demeure très important de prendre beaucoup de repos quand nous arrêtons de boire, car la soif semble surgir soudainement et plus facilement quand nous sommes fatigués.

On s'est souvent demandé pourquoi nous avions subitement le goût de boire sans raison apparente. En examinant la situation, nous constatons que chaque fois, nous sommes faigués sans l'avoir préalablement réalisé. Tout porte à croire que nous avons dépensé trop d'énergie sans prendre suffisamment de repos. Généralement, une collation ou une sieste suffit à changer notre état d'esprit, et l'obsession de boire disparaît. Même si on n'arrive pas à dormir, le seul fait de se coucher quelques minutes, ou de se détendre dans un fauteuil ou dans une baignoire supprime les effets de la fatigue.

Il est préférable, évidemment, de régler notre vie d'après un programme équilibré qui permet un repos régulier suffisant à chaque période de vingt-quatre heures.

Sans généraliser, des milliers de membres pourraient nous décrire leur insomnie dans les premiers temps de leur sobriété. Le système nerveux met en effet quelque temps à s'habituer (ou ordinairement à reprendre) un sommeil régulier et ininterrompu sans l'influence de l'acool. Le plus grave est que la crainte de l'insomnie rend le sommeil encore plus difficile. À ce sujet, le premier conseil que l'on se donne nutuellement est: "Ne vous inquiétez pas. Jamais personne n'est mort d'insomnie. Quand le corps est assez fatigué, le sommeil vient." Et c'est bien ce qui arrive.

Puisque l'insomnie servait souvent d'excuse pour prendre un verre ou deux, nous convenons qu'une nouvelle attitude à son égard est un adjuvant à notre sobriété. Au lieu de se retourner dans leur lit et de se tourmenter, certains en prennent leur parti, se lèvent et entreprennent de lire et d'écrire jusqu'aux petites heures.

D'autre part, il est sage de reviser nos autres habitudes de vie afin de voir si nous ne serions pas nous-mêmes responsables de nos insomnies: trop de caféine le soir? avons-nous une bonne alimentation? faisons-nous assez d'exercice approprié? notre système digestif s'est-il rétabli? Il faut y mettre le temps.

Plusieurs recettes simples et anciennes aident à combattre l'insomnie, tel prendre un verre de lait chaud, respirer profondément, prendre un bain chaud, lire un livre ennuyeux ou écouter de la musique douce. Certains préfèrent des procédés plus originaux: un alcoolique rétabli suggère de prendre, chaud, un verre d'eau gazeuse au gingembre et poivrée! (Chacun son goût!) D'autres s'en remettent à quelques massage spécial, au yoga ou à divers remèdes suggérés dans les ouvrages traitant de ce sujet.

Nous pouvons nous reposer en demeurant étendus, immobiles, les yeux fermés pour attendre le sommeil. Personne ne saurait le trouver en faisant les cent pas ou en bavardant et en buvant du café toute la nuit.

Si le malaise persiste, il peut être recommandable de consulter un médecin spécialisé en alcoolisme.

Nous avons appris de source sûre que *les somnifères, de quelque nature qu'ils soient, sont contre-indiqués pour les alcooliques.* Suivant notre expérience répétée, ils conduisent presqu'invariablement au premier verre.

Connaissant le danger de ces médicaments, nous avons toléré ce léger malaise pendant un certain temps, jusqu'à ce que notre physique ait retrouvé l'habitude d'un sommeil normal. Une fois passé le malaise temporaire, quand le rythme naturel du sommeil prend le dessus, nous pouvons constater que l'effort en valait grandement la peine.

Il peut être utile de signaler un autre phénomène étrange relatif au sommeil et survenant après l'abandon de l'alcool. Longtemps après avoir renoncé à l'alcool, il arrive à plusieurs de s'éveiller certain matin ou certaine nuit, pour constater qu'ils venaient de rêver intensément qu'ils buvaient.

Un nombre suffisant de membres ont fait de tels rêves pour savoir qu'ils sont fréquents et inoffensifs.

L'interprétation des rêves ne relevant pas de la compétence d'A.A., nous ne sommes pas en mesure de révéler leur signification cachée, s'il en est, au même titre que les psychanalistes et autres onirologues. Afin de vous éviter toute surprise, nous nous contentons de vous signaler que de tels rêves peuvent survenir. Parmi les rêves les plus fréquents, nous évoquons celui qui nous représente ivres et stupéfiés de l'être, sans souvenance aucune d'avoir pris un verre. Il arrivera même qu'on se réveille avec le frisson, les tremblements et autres séquelles de l'ivresse, sans que, bien sûr, on n'ait pris une goutte depuis des mois. Ce n'était qu'un mauvais rêve qui peut surgir sans raison, bien, bien longtemps après le dernier verre.

Il peut être profitable de se sentir effrayé et malheureux à la seule pensée de boire, ne serait-ce qu'en rêve. Il faut y voir un indice que nous commençons vraiment à comprendre, jusqu'au tréfonds de nous-mêmes, que l'alcool nous est néfaste. Mieux vaut la sobriété, même en rêve.

Ce qui est merveilleux dans un sommeil sobre, une fois qu'on y est parvenu, c'est ce plaisir même du réveil, d'un réveil sans les malaises de l'ivresse, sans les soucis de notre comportement inconscient de la veille. Au contraire, c'est frais et dispos, pleins d'espoir et de reconnaissance, que nous amorçons ce jour nouveau.

13 "L'important d'abord"

Voici un vieux slogan qui, pour nous, prend une signification spéciale et particulière. Exprimé simplement, il indique que par-dessus tout, nous devons nous rappeler que nous ne pouvons pas boire. Pour nous, ne pas boire est la première priorité, en tout lieu, à toute heure et en toute circonstance.

Il y va expressément de notre survie. Nous avons appris que l'alcoolisme est une maladie mortelle, causant la mort de différentes façons. Nous préférons ne pas risquer d'aggraver la maladie par un verre d'alcool.

Son traitement, tel que reconnu par l'*American Medical Association,* "consiste avant tout à ne pas boire d'alcool". Notre expérience personnelle confirme cette thérapie.

En fait nous comprenons qu'il nous faut, jour après jour et à n'importe quel prix, prendre tous les moyens nécessaires pour *ne pas* boire.

Certains nous demandent: "Entendez-vous signifier que votre sobriété est prioritaire à votre famille, votre emploi et à l'opinion de vos amis?"

La réponse est simple si nous considérons l'alcoolisme comme une question de vie ou de mort. Sans santé et sans vie, que deviennent pour nous famille, emploi et amis? Si nous apprécions notre famille, notre emploi et nos amis, nous devons *tout d'abord* préserver notre vie pour mieux en profiter.

"L'important d'abord" a également plusieurs autres significations valables pour combattre notre problème d'alcool. Ainsi, plusieurs ont remarqué qu'au début de leur sobriété, ils semblaient être plus lents à prendre des décisions, elles-mêmes devenues de plus en plus difficiles, oscillant entre le oui et le non.

Remarquons que l'indécision n'est pas le lot exclusif des alcooliques rétablis, mais nous en sommes peut-être plus affectés que d'autres. La maîtresse de maison, sobre depuis peu, se demande à quelles tâches de nettoyage elle doit donner priorité. L'homme d'affaires hésite entre retourner ses appels téléphoniques ou dicter certaines lettres. Dans plusieurs domaines de notre vie, nous voulions rattraper le temps perdu au détriment de certaines tâches et obligations. Évidemment, nous ne pouvions tout entreprendre à la fois.

Alors, "l'important d'abord" nous a secourus. Si l'alcool se trouvait impliqué dans un des choix à faire, cette décision méritait priorité. Sans la fidélité à notre sobriété, nous savions qu'il n'était *pas* question de nettoyage, d'appels téléphoniques ni de correspondance.

Une fois sobres, nous avons fait appel à ce même slogan pour ordonner nos nouveaux temps libres. Nous essayons d'établir notre programme d'activités quotidiennes sans jamais cependant le surcharger, en tenant compte de l'importance de nos tâches. Comme autre objectif "primordial", nous avons mis en tête de liste notre état général de santé, sachant que le surmenage ou la malnutrition pouvaient être dangereux. Durant notre alcoolisme actif, plusieurs ont vécu de façon plutôt déréglée et souvent dans une confusion telle que nous nous sentions instables, voire même désespérés. Nous avons découvert qu'il est plus facile de ne pas boire en mettant de l'ordre dans notre vie quotidienne, sans pour cela cesser d'être réalistes et tout en conservant une certaine souplesse. Le rythme du mode de vie que nous avons adopté nous procure de l'apaisement et une certaine discipline fondée sur le sage principe résumé dans notre slogan: "L'IMPORTANT D'ABORD".

14 Se prémunir contre la solitude

On décrit l'alcoolisme comme la "maladie du solitaire" et peu d'alcooliques rétablis contestent cette opinion. En évoquant les derniers mois ou les dernières années de notre alcoolisme, des centaines de milliers* d'entre nous se rappellent les sentiments d'isolement qu'ils éprouvaient, même au milieu de joyeux fêtards. Nous entretenions souvent un profond sentiment de non appartenance au moment même où nous nous comportions en personnages chaleureux et sociables.

Plusieurs ont dit qu'ils avaient commencé à boire pour "s'identifier au groupe". Ils avaient l'impression qu'il leur fallait boire pour "s'intégrer", pour sentir qu'ils s'harmonisaient avec le reste de la race humaine.

Bien sûr, il est notoire qu'en buvant de l'alcool, nous poursuivions un objectif égocentrique; autrement dit, c'est bien dans notre propre corps que nous déversions cet alcool, et dans notre propre peau que l'effet s'en répandait. Parfois, il avait pour effet temporaire de nous rendre plus sociable ou de calmer notre sentiment d'isolement.

Mais une fois l'effet de l'alcool dissipé, nous nous retrouvions plus isolés, plus rejetés, plus "différents" que jamais, et profondément tristes.

Si nous ressentions de la culpabilité ou de la honte, soit de notre ébriété même, ou de ses effets, notre sentiment d'isolement s'en trouvait accentué. À certains moments et en raison de notre conduite, nous en venions à craindre en secret ou même à croire que nous méritions cet ostracisme. Nous nous disions en nous-mêmes: "Se pourrait-il que je sois un intrus?"

(Tels sont peut-être vos propres sentiments lorsque vous évoquez votre dernière cuite ou son pénible lendemain.)

---

*On estime aujourd'hui à plus d'un million le nombre total des membres A.A. à travers le monde.

La route déserte qui s'étendait devant nous paraissait morne, sombre et interminable. Il était si douloureux d'en parler, même d'y penser, que nous nous empressions de retourner boire.

Exception faite des buveurs solitaires, on ne peut pas dire que nous manquions tout à fait de compagnie pendant notre alcoolisme actif. Nous étions bien entourés de gens que nous pouvions voir, entendre et toucher. Mais nos dialogues les plus importants, c'est intérieurement que nous les tenions, et avec nous-mêmes. Nous étions persuadés que personne ne nous comprendrait. En plus, vu l'opinion que nous avions de nous-mêmes, il n'est pas certain que nous *voulions* être compris par qui que ce soit.

Il n'est pas étonnant d'avoir alors été sidérés lorsque pour la première fois, nous avons entendu dans A.A. des alcooliques rétablis se raconter ouvertement et honnêtement. Le récit de leurs propres aventures d'alcooliques, de leurs frayeurs secrètes et de leur solitude nous bouleversait autant qu'un coup de tonnerre.

Nous découvrons, mais sans oser le croire au début, que *nous ne sommes pas seuls.* En définitive, nous *ne sommes pas* entièrement différents de *tout le monde.*

Nous avions abrité notre égocentrisme craintif sous une coquille fragile, qui s'est fissurée sous l'effet de l'honnêteté d'autres alcooliques rétablis. Nous avons eu conscience, avant même de pouvoir l'exprimer, d'avoir trouvé un refuge et de voir notre solitude se dissiper rapidement.

Le mot soulagement n'est pas suffisant pour traduire notre première réaction. Il s'y mêle aussi de l'émerveillement et presque une certaine appréhension. Serait-ce trop beau pour être vrai? Et pour durer?

Après quelques années de sobriété, les membres peuvent certifier à tout néophyte assistant à une réunion A.A. que c'est bien la *réalité,* tout à fait authentique, et qui continue. Il ne s'agit tout simplement pas d'un de ces faux départs comme nous en avons trop souvent connus. Il ne s'agit pas seulement d'une autre explosion de joie, suivie d'un cruel désappointement.

Bien au contraire, puisque le nombre de gens sobres dans A.A. depuis les décades s'accroît chaque année, nous devons nous rendre à l'évidence incontestable que notre rétablissement de la solitude de l'alcoolisme peut être authentique et permanent.

Par contre, ce n'est pas du jour au lendemain qu'on peut surmonter certaines habitudes de méfiance et autres mécanismes de défenses profondément ancrés en nous depuis plusieurs années. Nous sommes devenus absolument conditionnés à penser et à agir comme des incompris et des malaimés, que nous le soyons vraiment ou non. Nous sommes habitués à nous comporter en solitaires. Ainsi, au début de notre sobriété, il nous faut parfois y mettre un peu de temps et de patience pour nous défaire de cette solitude coutumière. Même si nous commençons à croire que nous ne sommes plus seuls, il nous arrive encore de nous comporter et de penser comme auparavant.

Lorsqu'il s'agit d'amitié, nous sommes maladroits, autant pour l'obtenir que pour l'accepter. Nous doutons de notre comportement aussi bien que de son effet. Et il y a cette crainte accumulée, alourdie du poids des années, qui nous paralyse. C'est pourquoi, quand nous commençons à ressentir la solitude, peu importe qu'elle soit réelle et physique ou pas, nous pouvons être facilement influencés par nos vieilles habitudes et l'euphorie de l'alcool.

De temps à autre, certains ont même le goût de tout abandonner et de retourner à leur détresse passée. Au moins, cette solution serait facile et n'exigerait pas de nous beaucoup d'efforts pour retrouver toute notre compétence de buveurs de profession.

Un membre s'adressant à un groupe A.A. disait un jour que boire, de l'adolescence à la quarantaine, avait été pour lui une occupation à temps plein et qu'il avait vécu des expériences familières aux jeunes gens nords-américains au cours de leur croissance.

Et voilà que, parvenu à la quarantaine, il se retrouvait sobre. Il était bien habile à boire et à fanfaronner, mais il n'avait jamais appris de métier ni de profession, et il ignorait presque tout des bonnes manières. "C'était impensable", disait-il, "je ne savais même pas comment donner rendez-vous à une fille, et l'ayant obtenu, comment me comporter! Dans mon ignorance, j'ai découvert qu'il n'existe aucun cours en cette matière pour les célibataires de quarante ans."

Les auditeurs accueillirent ces confidences avec un rire particulièrement chaleureux et compréhensif. Nombreux étaient ceux qui se reconnaissaient pour avoir connu des malaises analogues. À se sentir ainsi maladroit et inadapté à quarante ans (ou même à vingt ans, aujourd'hui), on pourrait se trouver pathétique, ou même grotesque, si ce n'était de toutes ces réunions bondées de membres A.A. compréhensifs, s'identifiant à ces mêmes angoisses, et maintenant en mesure d'en rire. C'est avec le sourire que nous pouvons faire de nouveaux efforts, jusqu'à ce qu'ils soient couronnés de succès. Il n'y a plus lieu de rougir en secret de nos échecs, ni de recourir à nos tentatives habituelles toujours désespérées, en vue d'obtenir une certaine sécurité sociale dans la bouteille, alors que nous n'y avons trouvé que solitude.

Ce n'est ici qu'un exemple extrême illustrant combien certains étaient désemparés lorsqu'ils ont mis la voile vers la sobriété. Il démontre les dangers de perdition encourùs par l'aventurier solitaire. Peut-être n'aurions-nous qu'une chance sur un million de nous rendre au terme du voyage.

Mais nous savons maintenant que nous ne sommes pas réduits à nos seules ressources personnelles. Il est de beaucoup plus logique, prudent et sécuritaire, d'entreprendre le voyage en compagnie d'un joyeux équipage voguant dans la même direction. Nous n'avons nullement à avoir honte de demander du secours, puisque nous nous aidons tous les uns les autres.

Il n'est pas plus lâche d'appeler à l'aide pour solutionner un problème d'alcool que d'utiliser une béquille pour une jambe fracturée. Une béquille est un objet précieux pour ceux qui en ont besoin et pour ceux qui en connaissent l'utilité.

L'aveugle fait-il acte d'héroïsme lorsqu'il trébuche et tâtonne, seulement parce qu'il ou elle dédaigne l'aide facilement disponible? Il arrive parfois qu'une conduite téméraire, voire même entièrement inutile, fasse l'objet d'éloges immérités. Mais l'entr'aide mutuelle, toujours plus efficace, devrait, elle, recevoir plus de témoignages de louange et d'admiration.

Notre expérience personnelle de sobriété témoigne avec éloquence de la sagesse de recourir à tous les secours disponibles lorsqu'il s'agit de résoudre un problème d'alcool. Si grands qu'en aient été notre désir et notre besoin, aucun de nous ne s'est rétabli de l'alcool par ses seuls moyens. Si nous avions pu nous en dispenser, nous n'aurions certainement pas fait appel à la Fraternité A.A., à un psychiatre ou à qui que ce soit.

Comme personne ne peut vivre tout à fait seul et que nous dépendons tous dans une certaine mesure des autres êtres humains, au moins pour certains biens et services..., il nous a semblé raisonnable d'accepter cette réalité particulière et de la mettre à profit dans la lutte très importante pour triompher de notre alcoolisme actif.

La tentation de boire s'infiltre en nous bien plus discrètement et sournoisement quand nous sommes seuls. Et quand l'ennui nous gagne, il semble que l'obsession de boire se fait plus forte et plus insistante. Ces désirs et ces envies ont bien moins de chance de s'éveiller en nous si nous sommes en compagnie d'autres personnes, surtout si elles ne font pas usage d'alcool. Si les obsessions nous assaillent alors que nous sommes en présence de membres A.A., elle nous paraissent plus faibles et plus facile à écarter.

Nous nous gardons d'oublier que presque chacun doit se réserver quelques moments de temps à autre, soit pour rassembler ses idées, faire le point, exécuter un travail, régler un problème personnel, ou soit pour simplement se soustraire au stress quotidien. Mais nous avons constaté qu'il est dangereux de devenir trop indulgents à ce sujet, spécialement quand notre humeur tend vers le vague à l'âme ou l'apitoiement. Toute présence, quelle qu'elle soit, vaut mieux qu'une solitude amère.

Il peut nous arriver, évidemment, d'avoir le goût de boire même pendant une réunion A.A. Tout comme on peut se sentir seul parmi la foule. Mais avec d'autres membres A.A., on est beaucoup moins exposé à boire que seul dans notre chambre, ou retiré dans le coin sombre d'un bar-salon tranquille et désert.

Quand on est réduit à se parler à soi-même, la conversation risque de tourner en rond. De plus en plus, elle exclut les interventions pertinentes pouvant provenir d'une autre personne. Chercher à se convaincre de ne pas boire équivaut à s'hypnotiser soi-même. Souvent, cela est aussi efficace que de tenter de persuader une bête en gestation de ne pas mettre bas alors que son terme est venu.

C'est pour ces raisons que nous suggérons d'éviter la fatigue et la faim, en y ajoutant souvent une autre possibilité de danger, pour en faire une triple mise en garde: "N'attendez pas d'être trop fatigué, d'avoir trop faim, ou de vous sentir trop seuls".

Gardez-vous de ces dangers.

Dès qu'il vous vient à l'esprit de prendre un verre, réfléchissez. Plus souvent qu'autrement, vous réaliserez que vous êtes en proie à l'un ou l'autre de ces trois dangereux risques.

Empressez-vous de vous confier à quelqu'un. Déjà, votre solitude sera moins lourde.

15 Éviter la colère et le ressentiment

Malgré que nous ayons déjà traité de la colère dans ce manuel, en raison de certaines expériences pénibles, nous nous croyons jusitfés de lui accorder une attention particulière en faveur de toute personne désireuse de solutionner un problème d'alcool.

Hostilité, ressentiment, colère, quelle que soit l'expression utilisée, évoquent une disposition qui, semble-t-il, est intimement reliée à la toxicomanie et peut-être davantage à l'alcoolisme.

Par exemple, une équipe de scientistes fit enquête auprès d'un grand nombre d'hommes alcooliques afin de savoir pourquoi ils s'enivraient. Ils découvrirent comme principale raison la réponse suivante: "C'est pour pouvoir dire à quelqu'un ma façon de penser." En d'autres mots, ces hommes trouvaient, quand ils étaient ivres, la force et la liberté d'exprimer une colère qu'ils arrivaient mal à manifester quand ils étaient sobres.

On a supposé qu'il pouvait exister une réaction biochimique ténue et non définie entre l'alcool et les mutations physiques provoquées par la colère. Une étude expérimentale sur les alcooliques révéla que les ressentiments peuvent déclencher dans leur système sanguin un certain malaise, qu'une cuite pourrait dissiper. Un psychologue éminent a récemment prétendu que les buveurs semblent se complaire à exercer une domination sur les autres s'ils sont sous l'influence de l'alcool.

On a publié des données sur les liens étroits qui existent entre l'usage de l'alcool d'une part, et les attentats et homicides d'autre part. Dans certains pays, il semble qu'un bon nombre de ces crimes surviennent alors que, soit la victime, soit le criminel (ou parfois les deux) se trouve sous l'influence de l'alcool. Les viols, les querelles de ménage conduisant au divorce, les sévices sur les enfants, les vols à main armée, sont souvent commis au seuil de l'ivresse avancée.

Même si nous n'avons pas l'expérience personnelle d'un tel comportement, il nous est facile de comprendre qu'une rage maladive peut amener certaines personnes à envisager une pareille violence si elles sont suffisamment ivres. Donc, nous reconnaissons que la colère renferme un danger en puissance.

Il fait peu de doute qu'on la retrouve de temps à autre chez l'espèce humaine animale. Tout comme la crainte, la colère pourrait bien traduire une certaine valeur de survivance commune à tous les membres de l'espèce appelée *homo sapiens*. L'indignation à l'égard de certaines notions telles que la pauvreté, la faim, la maladie et l'injustice a sans aucun doute engendré des progrès dans de nombreuses civilisations.

Mais on ne peut nier non plus qu'il faille déplorer les voies de fait et même les violences verbales résultant d'une colère excessive, de nature à causer des préjudices à la société comme telle, aussi bien qu'aux individus. C'est pourquoi plusieurs religions et philosophies nous exhortent à chasser la colère pour parvenir à une vie plus heureuse.

Beaucoup sont cependant d'avis qu'il est très néfaste pour l'équilibre émotif de contenir la colère; à moins de manifester notre agressivité d'une façon ou d'une autre, elle viendra ''troubler notre paix intérieure'' en nous bouleversant et en nous perturbant, pour nous conduire ainsi à une profonde dépression.

La colère est un problème humain universel sous tous ses aspects. Mais elle représente une menace particulière pour les alcooliques; notre propre colère peut nous tuer.

Les alcooliques rétablis conviennent presqu'unanimement que l'hostilité, la rancune ou le ressentiment provoquent en nous le désir de boire et nous imposent l'obligation d'être vigilants à leur égard. Pour les apprivoiser, nous connaissons des moyens bien plus adéquats que l'alcool.

Mais nous y reviendrons plus tard. Pour l'instant, jetons un coup d'œil sur certaines formes et couleurs dont la colère semble parfois se couvrir:

l'intolérance	le snobisme	la tension	la méfiance
le mépris	la rigidité	le sarcasme	l'anxiété
l'envie	le cynisme	l'apitoiement	la suspicion
la haine	le mécontentement	la malice	la jalousie

Une fois sobres, bien des membres A.A. ont pu relier ces sentiments à quelque colère sous-jacente. Quand nous buvions, la plupart d'entre nous mettaient bien peu de temps à y réfléchir. Nous étions plutôt portés à ruminer ou à exposer, surtout après avoir amplifié ces sentiments en prenant un autre verre.

Également, il faudrait peut-être ajouter la peur à cette liste, car plusieurs croient que la colère est souvent un produit de la peur. Nous ne savons pas toujours très bien de *quoi* nous avons peur; parfois, il s'agit seulement d'une crainte vague, générale et indéfinie. Et elle peut donner naissance à une colère tout aussi généralisée, susceptible de se concentrer soudainement sur quelqu'un ou quelque chose.

Les sentiments de frustration peuvent aussi engendrer la colère. En tant que catégorie, les buveurs maladifs ne sont pas réputés pour leur grande tolérance advenant une frustration, réelle ou imaginaire. L'alcool devenait notre recours préféré pour surmonter pareille émotion.

Le ressentiment ''motivé'' est peut-être le plus astucieux à discipliner. C'est l'aboutissement d'une colère juste, longtemps entretenue et qui ne saurait se prolonger sans miner progressivement notre résistance à l'alcool.

Même si de fait, on nous a traités de façon mesquine ou injuste, le ressentiment est un luxe que nous, comme alcooliques, ne pouvons nous offrir. *Toute* colère peut nous détruire car elle peut nous conduire à nouveau à l'alcool.

(On traite du ressentiment de façon plus détaillée dans les livres et brochures "Alcooliques Anonymes", "Les Douze Étapes" et "Les Douze Traditions").

Nous ne pouvons nous reconnaître aucune expertise en psychologie pure, nous contentant de concentrer nos efforts, non pas à rechercher les causes des malaises accompagnant la colère, mais simplement à y faire face, que nous les croyions justifiés ou non. Nous nous appliquons à maîtriser ces émotions pour éviter qu'elles nous induisent à boire.

Chose intéressante, plusieurs des moyens déjà invoqués pour éviter de boire se sont aussi avérés merveilleusement efficaces pour soulager les malaises intérieurs résultant de la colère. Par exemple, quand elle est prête à éclater, il est parfois très avantageux de grignoter nos douceurs favorites ou de siroter un breuvage non toxique, de préférence sucré.

Quand quelque chose nous irrite, il est fortement recommandé de téléphoner à notre parrain ou à d'autres alcooliques rétablis pour leur en faire part. Il est aussi valable de nous arrêter et de nous demander si nous ne serions pas surmenés. Dans l'affirmative, il s'est avéré qu'un peu de repos suffisait souvent à nous apaiser.

Aussi, méditer et réfléchir longuement sur le "Vivre et laisser vivre" contribue à nous calmer.

Il nous est aussi loisible de nous orienter vivement vers une activité tout à fait étrangère à la cause de notre irritation, soit en pratiquant quelques exercices animés ou en s'abandonnant à l'audition de notre musique préférée.

Notre agressivité se dissipera souvent en évoquant les pensées contenues dans la Prière de la Sérénité. Il arrive aussi que l'on soit indisposés à l'endroit de situations qu'il nous est impossible de contrôler ou de changer (par exemple, les embouteillages, la tempérance, la filée d'attente au supermarché), de sorte que l'unique choix sage et raisonnable consiste à les accepter plutôt que de rager intérieurement pour rien ou de nous tourner vers l'alcool.

Bien sûr, il pourra nous arriver de réprouver un domaine de notre vie que nous pouvons, et qui devrait être changé. Nous *devrions* peut-être quitter notre emploi pour en trouver un meilleur, ou obtenir un divorce, ou déménager notre famille dans un autre quartier. Dans ces cas, la décision doit être prise avec soin, sans précipitation ni colère. Il convient donc de retrouver d'abord notre calme. C'est alors seulement que nous pouvons considérer d'une façon clame et constructive si notre ressentiment affecte une chose que nous pouvons changer. Pour plus amples renseignements, voir chapitre 7, traitant de la Prière de la Sérénité.

Parfois, nous sommes confrontés davantage avec les emportements brusques et violents qu'avec les ressentiments prolongés. Nous avons souvent eu recours au programme du vingt-quatre heures (chapitre 3) et au slogan "l'Important d'abord" (chapitre 13) pour maîtriser de pareilles situations, avec des résultats étonnants, même si nous n'en connaissions pas l'efficacité avant de les éprouver.

Le truc du "faire comme si" est un autre remède efficace contre la colère. Il suffit de déterminer comment, à notre avis, une personne vraiment adulte et bien équilibrée se comporterait envers un ressentiment pareil au nôtre, puis de *faire comme si* nous étions cette personne. Tentez-en l'expérience de temps à autre. Elle vous sera sûrement profitable.

Plusieurs membres recourent aussi aux services professionnels d'un bon conseiller, comme un psychiatre ou un autre médecin, ou un membre du clergé.

Une activité physique légère peut aussi s'avérer avantageuse. Qu'il s'agisse de l'exercice déjà mentionné, de respirations profondes, d'un bain chaud et, (en privé) de frapper sur une chaise ou un coussin en criant, tous ces gestes ont contribué à délivrer une foule de gens de la colère. Il semble rarement recommandable de se contenter de réprimer, étoufffer ou contenir sa colère. Au contraire, il nous faut apprendre, non pas à la combattre mais à nous comporter en conséquence. Dans le cas contraire, nous multiplions dangereusement les risques de retourner boire.

En tant que profanes qui n'ont d'autre science que leur propre expérience, et comme alcooliques rétablis, nous n'avons aucune connaissance clinique et ne disposons d'aucune théorie scientifique en cette matière. Rares sont les gens qui, ayant connu un lendemain de veille, peuvent oublier l'irascibilité stupide qui l'accompagnait. Il nous arrivait parfois de nous en prendre aux membres de notre famille, à nos compagnons de travail à nos amis, ou à de purs étrangers, qui n'avaient sûrement pas mérité notre emportement. À la façon des volutes de fumée polluant l'atmosphère d'un bar-salon, du temps de notre alcoolisme actif nous conservons ce travers un certain temps après avoir connu la sobriété, et jusqu'à ce que nous procédions à l'assainissement de notre esprit.

16 Être indulgent pour soi

Lorsqu'un être cher ou un ami précieux relève d'une grave maladie, nous tâchons ordinairement de l'entourer de ce que toute bonne infirmière appelle S.T.A. (soins tendres et affectueux). Nous dorlotons un enfant malade en le comblant de ses mets préférés et des quelques joies favorables à son rétablissement.

Se rétablir de la maladie de l'alcoolisme actif nécessite un certain temps et mérite au malade en voie de réhabilitation, considération et une généreuse mesure de S.T.A.

Dans les temps jadis, les gens étaient souvent d'avis que ceux qui guérissaient de certains maux avaient mérité leur souffrance, la croyance étant qu'ils s'étaient délibérément infligés cette maladie par pur égoïsme.

À cause du blâme et de la flétrissure encore attachés à l'alcoolisme par les gens qui ignorent la nature de cette maladie (et nous étions de ce nombre avant d'être mieux informés), nous n'étions pas très indulgents envers nous-mêmes lors de nos lendemains de cuite. Nous acceptions d'endurer notre mal, en nous disant que nous devions bien "payer la note" comme pénitence de nos égarements.

Sachant maintenant que l'alcoolisme ne comporte rien d'immoral, nous trouvons donc indispensable de corriger nos attitudes. Nous nous sommes rendus compte que l'une des personnes les *moins* portées à traiter l'alcoolique comme un malade, c'est, assez paradoxalement, l'alcoolique lui-même (ou elle-même). Encore une fois, nos anciennes façons de penser refont surface.

On dit souvent que les buveurs maladifs sont des perfectionnistes tolérant mal toute imperfection, surtout les leurs. Nous étant imposés des objectifs impossibles, nous n'en continuons pas moins d'en poursuivre la conquête avec acharnement, en dépit de leur inaccessibilité.

Et puis, comme aucun être humain n'est capable de respecter les normes extrêmement exigeantes que nous nous imposons souvent, nous échouons, de la même manière que les idéalistes. Et suivent découragement et dépression. Et nous nous punissons sévèrement de n'être pas plus que parfaits.

C'est précisément à ce stage que nous pouvons commencer à nous considérer avec indulgence, avec bienveillance même. Nous n'exigerions pas plus qu'un effort raisonnable d'un enfant ou d'une personne handicapée. Il nous semble donc que nous n'avons pas davantage le droit d'exiger des miracles de la part des alcooliques en réhabilitation que nous sommes.

Impatients d'être complètement rétablis le mardi, nous nous trouvons encore convalescents le mercredi, et nous commençons à nous en faire des reproches. Il est alors opportun de faire une rétrospective et de nous considérer le plus objectivement possible. Quelle serait notre attitude envers un être cher ou un ami malade qui, se décourageant de la lenteur de sa guérison, commencerait à refuser ses médicaments?

Il est tout à fait indiqué de se rappeler que les excès de boisson causent des dommages sérieux à notre organisme, qu'ils laissent des suites dont nous mettrons des mois ou des années à nous remettre. Personne ne devient un alcoolique en quelques semaines seulement (enfin, *presque* personne). Nous ne pouvons non plus nous attendre à nous rétablir instantanément, comme par magie.

Quand le découragement nous envahit, c'est alors que nous devons nous stimuler. Plusieurs ont trouvé bénéfique de se féliciter et de s'enorgueillir du progrès déjà accompli, sans pour cela tomber dans la suffisance ou la vanité excessive.

Faisons le point. Nous sommes-nous abstenus de prendre un verre pendant le présent "24-heures"? Nous devons alors nous en féliciter. Nous sommes-nous sustentés convenablement aujourd'hui? Avons-nous essayé de remplir nos engagements aujourd'hui? En somme, avons-nous aujourd'hui fait tout ce que nous pouvions, et le mieux possible? Si oui, c'est tout ce que nous pouvons raisonnablement attendre.

Il est possible que nous ne puissions répondre dans l'affirmative à toutes ces questions. Nous avons pu, tout en connaissant mieux, faillir quelque part, régresser un peu, en pensée ou en action. Et puis après? Nous ne sommes pas des créatures parfaites. Nous devrions nous satisfaire d'un modeste progrès plutôt que de déplorer quelque manquement à la perfection.

Maintenant, que faut-il faire pour retrouver notre enthousiasme? Nous pouvons, en tous cas, faire *autre chose* que prendre un verre. Chaque chapitre de ce manuel est rempli de suggestions pertinentes.

Mais il y a peut-être plus. Avons-nous goûté la joie de vivre récemment? Ou plutôt, étions-nous tellement préoccupés de notre rétablissement, tellement étroitement rivés au rythme de notre progrès personnel que nous avons été privés d'un coucher de soleil? d'un clair de lune? d'un délicieux repas? d'une évasion méritée? d'une bonne farce? d'une certaine tendresse?

Comme le corps humain tend naturellement à se régulariser, peut-être le vôtre accueillerait-il volontiers l'occasion d'un repos bien mérité? Profitez calmement de siestes somnolentes ou du sommeil profond des longues nuits paisibles. Il se peut aussi que vous disposiez d'un surplus d'énergie à dépenser en simples distractions et plaisirs. Ces activités, comme tous les autres aspects de la vie, semblent nécessaires pour satisfaire toutes les exigences humaines.

C'est maintenant le temps, l'unique moment pour nous d'être indulgents envers nous-mêmes si nous voulons mériter d'une façon certaine, le respect et la considération des autres.

Nous avons découvert que, sobres, nous pouvions apprécier les mêmes bonnes choses que lorsque nous buvions, et beaucoup, beaucoup d'autres encore. Après un certain entraînement, les bénéfices finissent par surpasser l'effort consenti. Ce n'est pas de l'égoïsme que d'agir ainsi: c'est de l'autodéfense. Il est impossible de devenir une personne généreuse, honnête et socialement reponsable à moins d'avoir à cœur notre propre rétablissement.

17. Attention à l'exaltation

Le seul fait de boire pour un grand nombre de buveurs (alcooliques ou non) suffit à transformer un malaise intérieur en euphorie. Transformer ainsi une douleur en plaisir correspond au phénomène de "l'évasion alcoolique".

Mais nous sommes des milliers et des milliers à savoir que bien souvent, nous étions déjà d'humeur gaie quand nous commencions à boire. En fait, si nous faisons soigneusement appel à nos souvenirs, nous constatons, dans bien des cas, que nous buvions pour intensifier notre humeur déjà jubilante.

Cette expérience nous inspire la prochaine suggestion, à savoir: soyez particulièrement prudents dans les moments de réjouissance ou d'exceptionnel bien-être.

Quand tout va à merveille, au point d'être tenté de comparer votre bonne humeur à celle d'un non-alcoolique, prenez garde! Dans ces moments-là (et même après plusieurs années de sobriété), l'envie de boire se présente naturellement et le souvenir amer de nos anciennes beuveries s'estompe rapidement. Un seul verre nous paraît déjà moins menaçant, de sorte que nous commençons à croire qu'il ne saurait être fatal, pas même dommageable.

Effectivement, pour un buveur normal, *un seul* verre ne devrait pas l'être. Mais notre expérience de l'alcool démontre ce que signifie pour nous, buveurs anormaux, ce verre présumément inoffensif et pourtant fatidique. Tôt ou tard, il nous convaincrait qu'un verre additionnel ne saurait nous être préjudiciable.

Et alors, pourquoi pas une couple d'autres?...

Les fêtes et les réceptions semblent nous fournir des tentations de boire, spécialement lorsque nous avons des motifs légitimes de nous réjouir avec des parents et amis joyeux, capables de boire normalement. Leur façon de boire semble exercer sur nous une pression sociale nous incitant à vouloir les imiter.

Ce phénomène peut s'expliquer par nos mœurs, qui ont toujours étroitement associé le verre d'éthanol (alcool éthylique) avec le plaisir et les réjouissances (autant qu'avec les funérailles). Ce lien subsiste dans notre esprit bien longtemps après que nous ayons appris qu'il n'était plus du tout *nécessaire* de boire.

Nous savons maintenant que nous disposons de plusieurs moyens pour nous défendre de cette incitation sociale à boire, tels que décrits au chapitre 26. Bref, rappelons qu'il n'y a aucune circonstance qui nous soustrait à notre alcoolisme, cette maladie qui s'aggrave dès que nous recommençons à boire, peu importe l'événement ou la raison, ou même l'absence de raison.

La tendance de certains alcooliques de fêter au moyen d'un verre quand nous sommes particulièrement joyeux se fait encore plus insidieuse si elle se produit sans événement exceptionnel à célébrer et sans incitation particulière sociale à boire. Elle peut surgir au moment le plus inattendu, sans que nous n'en comprenions jamais la cause.

Nous pouvons maintenant éviter les moments de panique quand nous sommes tentés par l'envie de boire. Après tout, il est normal, de nos jours, d'avoir ce goût, qui devient encore plus compréhensible chez nous, qui sommes passés maîtres dans cet art.

Mais l'*évocation* d'un verre ne s'identifie pas nécessairement à l'*envie* de le prendre et ni l'un ni l'autre ne méritent de nous plonger dans la tristesse ou la frayeur. Elles peuvent être simplement perçues toutes les deux comme des sonnettes d'alarme qui nous rappellent les dangers de l'alcoolisme. Ces dangers sont permanents, même dans les moments d'exaltation où nous nous demandons si un bien-être à ce point merveilleux peut vraiment exister.

18 "Agir aisément"

Vous venez tout juste de terminer la lecture du chapitre précédent et vous vous empressez d'aborder celui-ci. Pourquoi? Se pourrait-il que vous ayiez besoin de mettre vous-même, en pratique le slogan "Agir Aisément".

Comme alcoolique, nous étions souvent portés à engloutir l'alcool plus vite que les autres. Nous poussions même nos préoccupations jusqu'aux dernières gouttes, qu'il s'agisse d'un verre de cocktail ou d'une bouteille.

Nous nous sommes amusés à constater notre apparente incapacité à abandonner une tasse de café ou un verre d'eau gazeuse à moitié plein, et cela, même après plusieurs années de sobriété. Nous nous surprenons parfois à boire d'un trait la dernière gorgée d'un breuvage non alcoolisé, comme si...

Nos lecteurs peuvent déjà comprendre qu'il n'est pas toujours facile pour nous d'abandonner une lecture avant la fin de la page, du chapitre ou du livre. Nous sommes presque contraints, dirait-on, de nous rendre au bout, au lieu de nous contenter d'une page, d'un chapitre ou deux par jour, et d'en garder pour la fois suivante. Ce n'est pas que cette tendance soit tout à fait mauvaise. Pour vaincre une obsession aussi destructive que celle de boire, il est sage de la remplacer par une hantise inoffensive, telle que celle d'acquérir de plus en plus de connaissances utiles à notre rétablissement de l'alcoolisme.

Alors, continuez de lire si le cœur vous en dit. C'est cent fois moins malsain que de faire la noce.

Mais quand vous arriverez à la fin de ce chapitre, vous accepterez peut-être de faire une expérience. Mettre ce livre de côté et repassez votre journée. Remarquez le nombre de fois où vous auriez pu ralentir un peu ou prendre les choses un peu plus aisément, si vous y aviez pensé.

C'est grâce à notre slogan "Agir Aisément" que nous nous rappelons l'un l'autre notre tendance occasionnelle à exagérer, à nous précipiter imprudemment, sans mentionner notre intolérance envers tout ce qui nous ralentit. Il nous est difficile de nous détendre et de jouir de la vie.

Si l'un de nous s'agite démesurément pour en finir avec une tâche ou est pressé d'arriver quelque part, un ami peut lui rappeler gentiment: "Souviens-toi *d'agir aisément*.". Il peut arriver souvent que ce rappel attire à cet ami un geste de contrariété. Diriez-vous qu'alors le conseil a porté fruit?

Bien sûr, nous savons depuis toujours que l'impatience n'est pas l'apanage des alcooliques. Au fur et à mesure qu'évolue notre civilisation, de plus en plus de gens se sentent pressés par le temps, se tourmentent et se dépêchent pour rattraper quoi?... qui?

Comme chacun le sait, ce n'est pas la majorité des buveurs qui deviennent alcooliques sous l'effet de cette pression. Un faible pourcentage seulement se retrouve avec notre problème. Ces buveurs se découvrent souvent un besoin commun d'apprendre à se détendre, à adopter un rythme normal, à apprécier les petits avantages et même les simples plaisirs jonchant la route, bref, à profiter du voyage au lieu de nous tourmenter sans cesse jusqu'à destination. L'horizon, lui, est immobile. Il est parfois bon de nous arrêter et de le contempler, ne serait-ce que pour la beauté du paysage.

Il nous est aussi souvent arrivé de constater que nous avions pris les bouchées doubles et démesurées. Nous persistons à prendre plus d'engagements qu'il est possible à quiconque d'en tenir.

Nous aurions probablement beaucoup à apprendre de certains cardiaques rétablis. Ils s'imposent un régime de vie productif et vigoureux, à un rythme modéré, de façon à éviter tout tourment, surmenage ou assujettissement rigoureux à un horaire.

Dans la mesure du possible, nous nous sommes astreints à certaines habitudes de vie qui nous aident à maintenir nos objectifs dans la réalité. Il nous est loisible de dresser une liste des choses à faire aujourd'hui, pour ensuite délibérément, en éliminer la moitié ou davantage. Demain, on recommencera.

Ou encore, nous pouvons intentionnellement préparer longtemps à l'avance un calendrier d'activités, en prenant soin de les ignorer tout aussi délibérément, jusqu'à leurs échéances. D'autres trouvent que ces listes et calendriers peuvent devenir trop contraignants en nous forçant à contempler chaque tâche, sans égard au temps ou à l'énergie qu'elle réclame. Dans ce cas, il vaut mieux y renoncer pour un temps. N'étant plus bousculés par cette dictature, nous apprendrons à évoluer à un rythme plus spontané, plus détendu.

D'aucuns s'accordent quinze ou vingt minutes de solitude et de paix avant d'entreprendre les activités de la journée, dans un état d'esprit détendu et posé. Il s'en trouve qui ont adopté certaines méthodes de prier et de méditer, particulièrement adaptées à leurs besoins. À plusieurs reprises au cours d'une journée trépidante, nous nous arrangerons pour pouvoir nous asseoir paisiblement, les yeux fermés pendant cinq minutes, pour ensuite retourner reposés au travail.

Il est plus facile de nous accorder un répit avec l'aide d'une autre personne. Il se peut que nous n'arrivions pas à créer nous-mêmes notre paix intérieure, mais que nous puissions parfois au moins nous asseoir tranquilles pour écouter un ami parvenu à un certain niveau de sérénité. En accordant ainsi toute notre attention à une autre personne, nous en venons à retrouver notre équilibre, à considérer notre propre vie dans une nouvelle perspective, et à réaliser qu'il n'est pas *nécessaire* qu'elle demeure une bousculade.

Certaines gens préfèrent de beaucoup les rassemblements de paix plus formels et institutionalisés (services religieux, retraites et autres).

Ou, pour éviter de se hâter on peut tout simplement commencer sa journée un peu plus tôt que d'habitude. Avec un peu d'imagination, nous devrions pouvoir établir un horaire personnel moins chargé, plus flexible, donc moins contraignant, moins asservissant.

S'il nous arrive d'être vraiment coïncés, voire exaspérés, il y aurait lieu de nous demander: "Suis-je à ce point indispensable?" ou "Cette précipitation est-elle à ce point nécessaire?" Quel soulagement de pouvoir répondre souvent en toute honnêteté par la négative. À la longue, ces procédés nous serviront en fait non seulement à surmonter notre problème d'alcool et ses séquelles, mais aussi à devenir beaucoup plus productifs, puisque nous pouvons mieux conserver et canaliser notre énergie. Nous ordonnons mieux nos priorités. Nous découvrons que plusieurs activités jusque là considérées comme vitales peuvent être éliminées grâce à un réexamen attentif. "Est-ce vraiment si important?" Voilà la question pertinente.

Évidemment, "Agir aisément" n'équivaut pas à une invitation à différer ou à n'être pas ponctuel aux rendez-vous. Il y a des tâches qui ne souffrent *pas* de remise à demain (puis au lendemain, et encore), comme arrêter de boire. D'autres tâches, par contre, seront avantageusement reportées au delà du présent 24-heures, pour être exécutées au moment où nous sommes mieux préparés à y faire face.

Un jour, une alcoolique gravement malade et agitée téléphona à un bureau A.A. pour demander une aide immédiate. On s'informa s'il lui était possible de patienter de vingt à trente minutes, le temps nécessaire pour se rendre chez elle.

"Oh! non" dit-elle. "Mon médecin m'a dit qu'il me fallait du secours tout de suite, immédiatement, et qu'il n'y a pas un instant à perdre".

Puis, du même souffle: "Et c'est avant-hier qu'il m'a dit cela".

Nous nous laissons facilement attendrir par quiconque plongé dans la plus grande détresse. Nous ne savons tous que trop bien ce qu'il en est. Effectivement, après cet appel désespéré le secours est parvenu en moins d'une heure. Aujourd'hui, elle raconte elle-même cette anecdote, pour illustrer son ancien comportement. On a peine à y croire maintenant lorsque l'on remarque sa contenance et son énergie aussi bien que son calme et sa vivacité.

Si vous le désirez au plus profond de vous-mêmes, il vous est possible d'obtenir la paix, la patience et la satisfaction.

Rappelez-vous de temps à autre qu'il faut aujourd'hui vous adapter au rythme idéal "d'Agir aisément". C'est dès maintenant que le changement peut commencer.

19 Être reconnaissant

Une membre A.A. raconte que même au plus fort de sa carrière alcoolique, elle n'a jamais perdu la foi. "J'avais une hantise tenace et inébranlable du désastre", explique-t-elle. "Tous les matins, dès mon réveil, j'anticipais ainsi mes journées: "Oh! mon Dieu, je me demande quelles nouvelles tuiles me tomberont sur la tête aujourd'hui!"

Si l'on frappait à la porte, elle était certaine qu'il s'agissait d'un désagrément. Elle pressentait avec certitude que son courrier ne lui réservait que factures et mauvaises nouvelles. À la sonnerie du téléphone, elle s'angoissait à la perspective de tristes nouvelles.

Cette énorme dépense d'énergie consacrée à des craintes pessimistes est familière à plusieurs d'entre nous; elle remémore le sombre état d'esprit qui nous habitait durant notre alcoolisme actif. L'alcool étant une drogue dépressive, il pouvait simplement s'agir d'un effet pharmacologique de l'alcool. Le pessimisme disparaît graduellement dans la mesure où le système se débarrasse des dernières traces d'alcool.

Mais nous avons remarqué que cette façon de penser, d'inspiration aussi neurasthénique, peut persister jusqu'à ce que nous ayons appris à la détecter et à l'enrayer soigneusement.

Il ne s'agit pas ici de recommander l'indifférence ou l'insouciance. Nous n'entendons pas signifier que les épreuves sont sans importance, ni nier que chacun a, de temps à autre, des obstacles à surmonter. Comme toute autre forme de souffrance, le chagrin fait vraiment mal.

Néanmoins, maintenant que nous sommes délivrés de l'alcool, nous pouvons beaucoup mieux maîtriser nos pensées. Avec un esprit moins confus, nous disposons d'un éventail plus étendu de pensées. Celles que nous choisissons d'entretenir pour chaque période de 24-heures peuvent fortement influencer notre humeur pendant cette journée, qui deviendra rayonnante et vivifiante, ou ténébreuse et abattue.

Puisque notre état d'esprit était étroitement lié à notre style de buveurs, nous avons trouvé qu'il était valable d'examiner à fond notre façon de penser, et d'adopter un nouveau mode de réflexion plus efficace.

Même si les exemples suivants ne vous conviennent pas précisément et même si l'expression en est nouvelle, il se peut que vos émotions finissent par s'identifier à certaines résonnances familières qui les accompagnent. Quelques-uns sont exagérés à dessein pour en faire ressortir clairement le message. D'autres, à première vue, peuvent paraître insignifiants. Pourtant, plusieurs ont réalisé que les petites améliorations faciles sont la pierre angulaire d'une réhabilitation solide et durable.

Si notre petite fille se frappe la tête en tombant et se met à crier, il est relativement facile de vérifier s'il s'agit d'une blessure sérieuse ou d'une simple frayeur. Nous avons alors un choix à faire: nous pouvons ou pousser des cris d'horreur en croyant que l'enfant s'est blessée ou est effrayée et persister à imaginer le pire, ou garder notre sang froid et nous consoler, reconnaissants qu'aucun dommage sérieux ne soit arrivé.

Nous avons aussi un choix lorsque notre grand-père, âgé de 90 ans, décède à la suite d'une longue et douloureuse maladie: d'une part, surpris, nous pouvons nous réfugier obstinément dans des transports de douleur et de révolte ou sombrer dans la culpabilité, et, dans un cas comme dans l'autre, peut-être boire. D'autre part, tout en étant affligés, nous pouvons nous rappeler qu'il a bénéficié d'une longue vie, souvent bonne et heureuse, que nous nous sommes efforcés d'être bons à son endroit en l'entourant de notre tendre affection, qu'il est maintenant libéré de ses chagrins et de ses souffrances. Il est douteux qu'il apprécierait nous voir prendre prétexte de son décès pour nous enivrer et mettre notre santé en danger.

Si enfin, nous réalisons un vieux rêve de visiter un endroit particulier, il nous est loisible de rouspéter sur les désagréments du logement et de la température, sur la nostalgie des temps anciens et sur la brièveté de nos quelques jours ou quelques semaines de vacances. Ou bien, nous pouvons nous réjouir d'avoir enfin effectué ce voyage et continuer d'imaginer toutes les beautés que nous pouvons découvrir, si seulement nous les recherchons.

Il nous faut écarter la tendance à dire "Oui, mais..." en réponse à toute déclaration optimiste, élogieuse ou constructive. Qu'il s'agisse de la bonne fortune d'un ami ou de son air de jouvenceau, de la vedette qui se prête à une campagne de charité, on peut s'exclamer amèrement: "Oui, mais..." Mais... cette réflexion est-elle utile à quelqu'un, à commencer par nous-mêmes? Ne pouvons-nous pas tolérer que certaines choses soient simplement bonnes? Ne pouvons-nous pas nous réjouir à leur sujet au lieu d'essayer de les diminuer?

Deux attitudes différentes s'offrent à ceux qui essaient d'arrêter de fumer: (1) pester continuellement sur les difficultés impliquées en maugréant: "Ça ne marchera pas davantage cette fois-ci", et "Tenez, bon sang, je viens encore d'en allumer une"; ou bien (2) lorsqu'on y pense, inhaler profondément l'air pur, se féliciter de s'être abstenu de fumer une heure durant et, même lorsqu'on a allumé une cigarette inconsciemment, se louanger d'en avoir disposé avant qu'elle ne soit devenue mégot.

Si d'aventure l'un de nous ne gagne que cinq cents dollars à une loterie comportant un gros lot de cinquante mille dollars, la réaction normale est facile à prévoir. Être privé du premier prix ne doit *pas* susciter d'amertume.

Il nous arrive couramment d'avoir à faire de pareils choix conscients et par expérience, nous savons que la reconnaissance est beaucoup plus salutaire et plus favorable à la conservation de la sobriété. Nous serons agréablement surpris de réaliser, moyennant quelques efforts, qu'il n'est pas difficile de développer en nous la mentalité de la reconnaissance.

Plusieurs d'entre nous ont hésité à s'y mettre. Mais, de toute évidence, les résultats en furent la preuve éclatante. Au début, il peut être frustrant de retenir le commentaire acerbe qui nous vient spontanément à l'esprit. On peut avoir à ravaler deux fois notre salive avant d'exprimer une remarque légèrement positive, qualifiée de "mielleuse" au temps de notre alcoolisme actif. Mais elle vient bientôt plus facilement et peut même devenir un tremplin puissant et sûr pour notre relèvement. La vie foisonne de bonnes choses et nous entendons en profiter.

En fouillant dans les souvenirs de notre passé de buveurs, certains membres découvrent une autre manifestation d'attitudes négatives. Mais nous avons également été amenés à modifier ce genre de comportement et, par voie de conséquence, à améliorer notre conduite et nos sentiments.

Pour une raison inconnue, nous avons gaspillé un temps fou à souligner ou à discuter les erreurs ou les fautes dans lesquelles tant *d'autres* gens s'obstinaient. (Vraies ou fausses, elles sont indépendantes de l'évolution heureuse de nos propres sentiments.) Pour certains, la transformation s'opère par une disposition consciente d'expectative, par une acceptation momentanée de l'hypothèse que l'autre personne pourrait peut-être avoir raison. Au lieu de précipiter notre décision, nous suspendons notre propre délibération, nous écoutons attentivement et nous attendons le résultat.

L'avenir pourra déterminer si oui ou non, nous avons tort. Là n'est pas l'important. Quel que soit le résultat, nous nous sommes libérés temporairement de notre besoin maladif d'avoir toujours raison, ou le dessus. À notre avis, il est sain de pouvoir admettre candidement ''je ne sais pas'' ou ''j'ai tort, vous avez raison'', quand nous nous sentons assez bien en nous-mêmes pour ne pas être embarrassés d'avoir effectivement tort. Nous en venons à nous sentir détendus et reconnaissants de pouvoir accueillir des idées nouvelles. Les plus grands savants sont toujours à l'affût de nouvelles preuves susceptibles d'infirmer leurs propres théories pour pouvoir rejeter toute divergence et serrer de plus près l'exacte vérité. Nos pensées négatives commencent à se dissiper quand nous parvenons à une telle ouverture d'esprit. Un exemple permettra peut-être d'illustrer la relation entre le désir d'avoir toujours raison (le contraire de voir tous les autres se tromper) et la liberté d'avoir nous-mêmes tort, et ce faisant, de saisir et de mettre à profit des idées nouvelles et d'autres moyens pour demeurer sobres.

Quand nous buvions, plusieurs d'entre nous ont cru mordicus et pendant longtemps que notre façon de boire était inoffensive. Non pas que nous allions jusqu'à fanfaronner, mais s'il arrivait qu'un prêtre, un psychiatre ou un membre A.A. ose aborder l'alcoolisme devant nous, nous étions prompts à souligner que *notre* façon de boire était différente et qu'*elle* n'exigeait l'intervention de personne. Et même si nous finissions par admettre que l'alcool nous dérangeait quand même un peu, nous nous faisions forts de pouvoir régler le problème par nos propres moyens. Ainsi, nous fermions la porte sur toute nouvelle information et secours. Et bien sûr, nous continuions à boire derrière cette porte.

Il a fallu que nos difficultés soient très graves et que nous commencions à nous sentir extrêmement désespérés pour enfin nous épancher légèrement et accueillir un tant soit peu de lumière et de secours.

Des milliers de membres se souviennent clairement et avec grande reconnaissance de leurs premières impressions et déclarations concernant leur découverte d'Alcooliques Anonymes.

"C'est très bien pour eux, mais pas pour moi; mon état n'est pas aussi grave."

"Dans les bars, il m'est arrivé de rencontrer d'anciens membres A.A. ivres. D'après leurs versions, je suis en mesure d'affirmer que ce ne serait pas efficace pour moi non plus."

"J'ai connu un individu qui s'est rallié à A.A.; il est devenu inflexible, fanatique, ennuyeux et intolérant."

"Je ne peux pas supporter toutes ces "bondieuseries" et cette nécessité de rassemblements. De toute façon, je n'ai jamais été un adepte des groupes."

Aujourd'hui, il nous faut admettre en toute honnêteté que nous avons consacré plus de temps à ces opinions négatives et à nos propres justifications de boire que nous n'en avons mis à approfondir A.A. d'un esprit ouvert. Notre examen n'avait rien de scientifique, étant plutôt superficiel et pessimiste, se limitant à la recherche de choses à éviter.

Nous nous abstenions de nous entretenir avec des membres sobres ou d'approfondir l'abondante littérature publiée par et au sujet d'A.A. Si certaines choses ou certaines personnes nous déplaisaient, nous abdiquions. Après tout, nous avions essayé, n'est-ce pas? Vous rappelez-vous cet homme qui prétendait ne pas aimer lire parce que la lecture de son premier livre l'avait déçu?

Aujourd'hui, il nous apparaît évident que nous aurions pu agir autrement. Nous aurions pu consacrer plus de temps à rechercher ce qui nous plaisait dans A.A., les suggestions qui nous convenaient et les réflexions et opinions que nous partagions. Nous aurions pu apprécier qu'A.A. accueille tout visiteur éventuel et qu'on ne nous ait pas demandé de nous y engager sans réflexion. Nous aurions pu être reconnaissants envers A.A. de ne réclamer ni cotisation ni honoraires et de ne requérir d'adhésion à aucune doctrine, règlement ou rite. S'il arrivait que des membres A.A. soient trop volubiles à notre goût, nous aurions pu nous rappeler que d'autres étaient plus discrets ou s'exprimaient à notre convenance. Nous aurions pu essayer de découvrir pourquoi un si grand nombre de spécialistes éminents ont tant de fois endossé A.A. au cours des années. Il doit y avoir une raison!

Selon notre expérience, demeurer sobres peut dépendre de ce seul choix: nous pouvons passer des heures à méditer sur les mobiles de notre désir, de notre besoin ou de notre intention de boire, ou sur l'évidence que l'alcool nous est néfaste, que s'en abstenir est plus sain et à réfléchir plutôt sur ce que nous pourrions faire au lieu de boire.

Chacun de nous fait ce choix comme il ou elle l'entend. Nous nous réjouissons lorsqu'une autre personne en vient à décider comme nous. Nous souhaitons bon succès à toute persone optant pour la sobriété d'une manière ou d'une autre, quel que soit notre intérêt pour la Fraternité A.A.. Nous continuons d'apprécier notre liberté de choisir parmi les moyens mis ici à notre disposition.

20 Se souvenir de sa dernière cuite

Comme vous le verrez plus loin, c'est à dessein que nous avons employé le mot "cuite" plutôt que "verre".

"Prendre un verre" est une expression qui, pour des millions de personnes depuis des siècles, évoque et fait miroiter des moments agréables.

Selon notre âge et les circonstances qui ont entouré nos premières expériences avec l'alcool, nous avons tous des souvenirs et des espoirs divers (des angoisses, parfois) à la pensée d'une bière froide, d'un "double", d'un gin-tonique, d'un whisky-bière, d'une gorgée de vin, et de quoi encore...

Il nous est arrivé plus d'une fois lors de nos premières consommations d'avoir complètement satisfait les plaisirs anticipés. L'habitude étant suffisamment implantée, nous en venions à croire qu'un verre donnait toujours satisfaction, qu'il se soit agi du besoin de nous conformer à un rite religieux, d'étancher notre soif, de souligner un événement social, de nous détendre, de nous stimuler ou de nous accorder tout autre plaisir convoité.

Par exemple, chaque fois qu'on lui offre à boire, il est facile à un Finlandais de 55 ans de se rappeler l'époque de sa jeunesse où un coup de vodka ou d'eau-de-vie consommé par temps froid provoquait une bouffée de chaleur.

Une jeune femme y verra plutôt une élégante coupe de champagne en cristal, des décors enchanteurs, une nouvelle garde-robe, un nouvel amant. Une autre pourra se remémorer le coup pris à même le goulot d'une bouteille encore emballée et tendue par son compagnon à longue barbe et de denim vêtu, au son d'une musique "rock" provoquant l'hystérie générale, sous un éclairage psychédélique qui projetait ses rayons dans des nuages de fumée mystérieuse.

Un membre A.A. dit associer un verre d'alcool au goût d'une pizza accompagnée de bière. Une membre A.A., veuve de soixante-dix-huit ans, se rappelle toujours les "eggnogs" au sherry qu'elle apprit à déguster à l'heure du coucher dans le foyer où elle habitait.

Bien que tout à fait naturelles, ces reminiscences peuvent nous induire en erreur. Si de telles illusions sont à l'*origine* de notre histoire alcoolique, elles ne l'expliquent pas entièrement, de sorte qu'il est improbable qu'elles soient la cause unique de notre problème alcoolique.

Si nous jetons un regard courageux et scrutateur sur notre expérience alcoolique, nous découvrons que les derniers mois ou les dernières années n'ont jamais recréé ces moments absolus, magiques, malgré nos innombrables efforts.

Au contraire, infailliblement, nous buvions jusqu'à dépasser cette mesure pour, en conséquence, aboutir dans quelque pétrin. Il pouvait simplement s'agir d'un malaise intérieur, d'une vague suspicion concernant notre abus possible d'alcool, mais aussi de querelles conjugales, de problèmes d'emploi, de maladies ou d'accidents graves, d'ennuis légaux ou financiers.

En conséquence, quand une invitation à prendre un verre nous est faite, nous essayons maintenant de nous rappeler toute la kyrielle des conséquences déclenchées par "un seul verre". Nous poursuivons cette vision jusqu'au bout, jusqu'à notre dernière et misérable cuite et ses malaises du lendemain.

Quand un ami nous offre "un verre", il entend normalement nous proposer un verre de politesse ou deux. Mais si nous prenons soin de nous remémorer toute la souffrance attachée à notre dernière cuite, nous ne sommes pas dupes de notre ancienne conception "d'un verre". Pour nous, et à partir de maintenant, l'implacable vérité physiologique nous enseigne qu'un verre équivaut sans contredit à une cuite tôt ou tard, et aux troubles inévitables qui en découlent.

Prendre un verre n'évoque plus *pour nous* la musique, les éclats de rire et la galanterie, mais plutôt la maladie et le chagrin.

Un membre A.A. s'exprime ainsi: "Je sais maintenant que je ne peux plus m'en tirer pour quelques minutes et un dollar au bar si je m'y arrête de nouveau. Ce verre pourrait me coûter mon compte en banque, ma famille, ma maison, ma voiture, mon emploi, ma santé, et probablement ma vie. C'est payer trop cher pour un si grand risque."

C'est de sa dernière cuite qu'il se souvient, et non pas de son premier verre.

21 S'abstenir de tout stupéfiant chimique

Chez les humains, l'usage de produits chimiques de toutes sortes pour influencer l'humeur est, nous dit-on, fort répandu et fort ancien. L'alcool éthylique compte parmi les premières drogues utilisées à cette fin et fut probablement toujours la plus populaire.

Nous comprenons que certaines drogues ont une valeur reconnue et sont bénéfiques lorsqu'administrées par des médecins compétents, utilisées seulement suivant la prescription et discontinuées dès qu'elles ne sont plus requises médicalement.

N'étant pas médecins, nous, membres A.A., n'avons certes pas la compétence nécessaire pour recomander une quelconque médication, ni pour conseiller à quelqu'un de s'abstenir de prendre un médicament autrement que prescrit.

Notre propre expérience personnelle est la seule attitude responsable que nous puissions offrir.

Les expériences en laboratoire et autres formes d'études scientifiques n'étant pas du ressort d'A.A., nous n'avons aucune donnée scientifique pour soutenir nos opinions. S'il existe des enquêtes réputées et respectées par le milieu scientifique qui conduisent à des conclusions différentes des nôtres, nous n'en connaissons pas l'existence et, de toute façon, nous n'avons ni la compétence ni le désir d'endosser ou de contester toute autre théorie. Nous nous en tenons à nos seules constatations et observations subjectives.

Il faudrait toutefois mentionner qu'un nombre appréciable de médecins, eux-mêmes alcooliques rétablis, ont rédigé une brochure A.A. qui endosse fermement nos conclusions, intitulée: "Le membre A.A. et l'abus des drogues''.

Pour nous, l'alcool était devenu un genre de panacée, pour nous sentir mieux ou moins malades.

Nous sommes des milliers à avoir en outre absorbé d'autres produits chimiques. Nous avons découvert des stimulants qui semblaient dissiper les malaises du lendemain (jusqu'à ce qu'ils nous dépriment à leur tour), des sédatifs et des tranquillisants qui calmaient nos angoisses ou masquaient nos dépressions, des soporifiques, des cachets brevetés et des élixirs (qualifiés comme étant inoffensifs) qui nous aidaient à dormir ou nous stimulaient, diminuaient nos inhibitions ou nous transportaient sur un nuage rose de béatitude.

Évidemment, un puissant désir, presqu'une obsession de tels médicaments propres à changer les états d'âme (affectant l'esprit) peut s'enraciner profondément chez tout buveur habituel.

À maintes reprises, il nous est arrivé de constater que même si techniquement, en termes pharmacologiques, un médicament ne produit aucun besoin physiologique, il est facile de s'y habituer et d'en devenir dépendant. Cette disposition serait imputable davantage à une inclination *intérieure* à le dépendance" qu'à une vertu de la drogue elle-même. À la lumière de notre expérience constante, nous reconnaissons que nous sommes devenus des personnes "dépendantes".

Nous faisons d'immenses efforts pour éviter la marijuana, la cocaïne, le hasch, les hallucinogènes, les sédatifs, les stimulants, et même les cachets brevetés et les drogues agissant sur le système nerveux central.

Même pour ceux qui n'en ont jamais été victimes, il est devenu évident, pour en avoir été témoins plus d'une fois, que ces produits représentent un danger possible certain. Ils semblent éveiller d'anciennes fascinations pour les "potions magiques" ou pour une certaine forme d'extase ou d'insouciance. Et si nous nous en sommes servis à quelques reprises, il nous a paru alors beaucoup plus facile de prendre un verre.

A.A. n'est pas un mouvement contre la drogue ou la marijuana. Comme entité, nous ne prenons pas parti, ni moralement ni juridiquement, pour ou contre la marijuana ou toute autre substance analogue. (Toutefois, comme tous et chacun, un membre est cependant libre en cette matière de se faire une opinion et d'agir comme bon lui semble).

Nous en arrivons ainsi à l'attitude observée par les membres A.A., bien qu'il serait plus juste de parler de "neutralité" concernant l'alcool et son usage. Comme fraternité, nous ne contestons pas l'alcool et son usage par les millions de personnes qui y trouvent un complément social agréable à leur existence sans aucun préjudice, ni envers les autres, ni envers eux-mêmes. Pour la majorité, après une certaine période de sobriété, nous sommes tout à fait disposés à servir des boissons alcoolisées à nos invités non alcooliques. Il nous appartient également d'exercer ce choix sans avoir à nous soucier de la décision des autres. Personnellement, nous en sommes venus à la conclusion que, pour nous, il n'est pas bon de boire, et nous avons découvert cette façon de vivre sans alcool infiniment préférable à notre vie d'autrefois.

Certains alcooliques rétablis croient que leur métabolisme est devenu définitivement réfractaire à tout analgésique ou anesthésique, de sorte qu'ils se croient justifiés d'en exiger des doses massives pour fins de traitement.

Des membres se plaignent de réactions adverses à une anesthésie locale pratiquée par un dentiste. Chose certaine, il en résulte une extrême nervosité, qui persistera jusqu'à ce que nous puissions retrouver notre calme par un peu de repos. (Dans ces occasions, il est recommandable de se faire accompagner par un autre alcoolique rétabli.)

Ces expériences n'étant pas communes à tous, il est impossible de prédire les circonstances pouvant déclencher de semblables réactions. De toute façon, il est sûrement sage de révéler au dentiste ou à l'anesthésiste de l'hôpital toute la vérité au sujet de notre passé alcoolique (et de l'usage des drogues, s'il y a lieu), tout comme des autres faits relatifs à notre état de santé.

Les deux récits qui suivent sont caractéristiques de l'expérience des A.A. en ce qui concerne les drogues (affectant l'esprit) autres que l'alcool.

Un de nos membres, sobre depuis bientôt trente ans, décida un jour de tenter sa première expérience avec la marijuana, et il y procéda. Trouvant les effets fort agréables, il en fit usage pendant plusieurs mois en société, sans en éprouver, pensait-il, aucune sorte d'inconvénient. Quelqu'un l'informa alors qu'avec un peu de vin, l'effet n'en serait que meilleur; il en fit l'expérience sans penser à son terrible passé alcoolique. En fait, il ne s'agissait que d'une gorgée d'un vin très léger.

En moins d'un mois, il réalisa qu'il buvait énormément et qu'il était à nouveau sous l'inexorable emprise de l'alcoolisme.

À quelques détails près, nous pourrions raconter la même histoire des centaines de fois. C'est avec plaisir que nous pouvons vous informer que ce même alcoolique est redevenu sobre après avoir renoncé totalement, et cela depuis deux ans, à tout usage de marijuana et d'alcool. Sobre, il est à nouveau devenu heureux et actif. Pareille chance de retour à la sobriété n'a pas été donnée à tous ceux qui ont vécu la même expérience. Les possibilités favorisent plutôt le contraire.

L'autre cas est celui d'un jeune femme sobre depuis dix ans, hospitalisée pour une grave intervention chirurgicale. Son médecin, spécialiste en alcoolisme, l'avait prévenue qu'après l'opération il serait nécessaire de lui administrer une ou deux légères doses de morphine pour atténuer la douleur, tout en l'assurant qu'elle n'en aurait plus besoin par la suite. De toute sa vie, elle n'avait jamais pris de médicament plus fort qu'un cachet d'aspirine, à l'occasion de quelque rare migraine.

La deuxième nuit suivant l'opération, elle demanda au médecin de lui adminsitrer une autre dose de morphine, alors qu'elle en avait déjà eu deux. "Êtes-vous souffrante?" lui demanda-t-il.

"Non", répliqua-t-elle. Puis elle ajouta tout à fait innocemment: "Mais je pourrais l'être plus tard".

Devant le sourire amusé du médecin, elle se rendit compte de ce qu'elle venait de dire et de son apparente signification. D'une certaine façon, son esprit et son corps réclamaient déjà la drogue.

Elle éclata de rire, renonça à cette drogue et n'en ressentit jamais plus le besoin. Cinq ans après, elle est toujours sobre et bien portante. Elle rappelle cet incident pour démontrer sa conviction que toute personne aux prises avec un problème d'alcool est affecté d'une inclination permanente à la dépendance.

Il nous semble pratiquement impossible d'utiliser quelque stupéfiant, même en conformité d'ordonnances médicales. Nous avons tendance à en vouloir et à nous servir trop généreusement et trop souvent, rendant ainsi l'éventuel danger de boire terriblement menaçant.

Nous prenons soin de raconter dans le détail au médecin traitant nos antécédents personnels pour lui faire comprendre notre attitude à l'égard de certains médicaments. À moins d'être à l'hôpital où des spécialistes exercent une surveillance étroite sur l'administration de toute médication requise, nous estimons préférable de ne jamais risquer de faire usage de quelque stupéfiant que ce soit. Pour le traitement de la toux, nous évitons les sirops contenant de l'alcool, de la codéine ou des soporifiques, de même que tout ce lot de capsules, pilules, aiguilles, herbes, poudres, analgésiques synthétiques, liquides et vapeurs dispensés généreusement par des pharmaciens non agréés ou des anesthésistes amateurs.

Pourquoi prendre des risques?

Sans aucune motivation morale et pour de simples raisons de santé, il est tellement facile, à notre avis, de s'épargner des embûches aussi risquées, susceptibles d'occasionner un désastre. Nous avons découvert un mode de vie dépourvu de toute drogue et qui, pour nous, est incomparablement plus satisfaisant que les précédents recherchés dans les stupéfiants.

Nous avons conclu que la "magie chimique" recherchée dans l'alcool (ou ses substituts) se logeait entièrement dans notre esprit. Nous étions les seuls à éprouver ces agréables sensations intérieures. Aujourd'hui, nous sommes heureux de partager notre bonheur naturel exempt de drogue, entre nous aussi bien qu'avec les autres.

À la longue, le système nerveux se restaure et s'habitue à fonctionner parfaitement sans l'aide de stupéfiants, telle l'eau-de-vie. Lorsque nous en venons à nous sentir plus confortables sans l'influence des substances chimiques que sous leur empire, alors nous acceptons comme normales nos dispositions naturelles qu'elles soient optimistes ou pessimistes. Comme résultat, nous devenons en mesure de prendre des décisions sages et autonomes, reposant moins sur des impulsions ou sur l'impatience chimiquement provoquée d'une satisfaction immédiate. Il nous est possible d'étudier et de considérer mieux qu'auparavant les divers aspects d'une situation, de reporter à plus tard une satisfaction en vue d'avantages plus stables et plus durables, et de mieux évaluer, non seulement notre propre bien-être, mais aussi celui de nos proches.

Maintenant que nous connaissons les vraies valeurs de la vie, les substituts chimiques ne représentent plus pour nous aucun intérêt.

22 Chasser l'apitoiement

Personne le moindrement sain d'esprit ne veut admettre son apitoiement, tellement ce sentiment est monstrueux. Même une fois devenu sobres, nous excellons toujours à nous dissimuler à nous-mêmes que nous baignons dans une mare d'apitoiement. Nous sommes prompts à répliquer qu'il s'agit d'une tout autre émotion lorsque nous avons le désagrément d'entendre dire que nous en sommes grandement affectés. Ou bien nous pourrons, en un instant, inventer jusqu'à treize raisons à la douzaine, toutes parfaitement valables, pour nous justifier de nous prendre quelque peu en pitié.

Cette souffrance dans laquelle nous nous complaisons par habitude nous poursuit longtemps encore après notre désintoxication. L'apitoiement est un mirage séduisant. Il est beaucoup plus facile d'y succomber que de choisir l'espoir, la confiance ou une simple activité.

Cette émotion n'est pas exclusive aux alcooliques. Qui peut se souvenir d'une maladie ou d'une douleur de son enfance peut également se rappeler un certain soulagement à crier sa souffrance, et une égale satisfaction un peu perverse à rejeter toute consolation. Presque tout être humain peut, à l'occasion, revivre profondément ses pleurnichages enfantins du "Laisse-moi tranquille!"

Au début, lorsque nous devenons sobres, l'apitoiement s'exprime souvent ainsi: "Pauvre de moi! Pourquoi ne puis-je pas boire comme tout le monde?" *(Les autres?)* Pourquoi faut-il que cela m'arrive à *moi*? Pourquoi faut-il que *moi, je* sois un alcoolique? Pourquoi *moi*? Ce genre de réflexion n'a pas d'autre avantage que de nous conduire au bar-salon. Récriminer sur une question aussi insoluble équivaut à se désoler d'être né à notre époque plutôt qu'à une autre, ou sur cette planète plutôt que dans une autre galaxie.

Nous constatons, dès nos premières rencontres avec des alcooliques rétablis venant de partout à travers le monde, qu'il ne s'agit pas, bien sûr, uniquement de "Moi".

Plus tard, nous en venons à reconnaître que nous avons commencé à nous familiariser avec cette question. Lorsque nous nous sommes résolument engagés sur la voie d'un rétablissement agréable, il peut nous arriver, soit de trouver la réponse, ou simplement de nous en désintéresser. Le cas échéant, vous vous en rendrez bien compte. Plusieurs croient avoir identifié les causes probables de leur alcoolisme. Mais même dans la négative, il n'en demeure pas moins que l'impératif essentiel consiste à accepter que nous ne pouvons pas boire et à nous comporter en conséquence. Il n'est pas très utile de s'immerger dans sa propre fontaine de larmes.

Certains prennent plaisir à tourner le fer dans leurs plaies. De l'époque où nous buvions, il subsiste souvent une habilité féroce à jouer ce jeu inutile.

Nous pouvons aussi manifester un talent singulier pour transformer la moindre contrariété en sombre catastrophe universelle. Si le courrier nous apporte une facture de téléphone énorme, une seule, nous déplorons être *continuellement* endettés, murmurant qu'il n'y aura jamais, *jamais* de fin. Si le soufflé se dégonfle, nous accusons notre inaptitude passée et future à réussir quelque chose. À la livraison de notre nouvelle voiture, nous marmonnons aussitôt: "Avec ma veine habituelle, ce sera sûrement un..."

Si vous avez complété cette phrase par le mot citron, vous faites partie de notre club.

C'est comme si nous portions sur notre dos un immense fourre-tout bourré de mauvais souvenirs, tels les douleurs et les rebuffades de notre enfance. Qu'une légère contrariété quelque peu semblable à l'un de ces souvenirs se produise 20 ans ou même 40 ans après, voilà l'occasion rêvée de nous arrêter, de rouvrir le sac pour en tirer d'un geste amoureux, l'une après l'autre, chacune de ces vieilles blessures et malchances. Plongeant avec émotion dans nos souvenirs, nous les revivons intensément l'un après l'autre, remplis de honte de nos fredaines d'enfant, grinçant des dents de nos colères anciennes, nous remémorant nos vieilles disputes, tremblant d'une peur presque oubliée ou refoulant peut-être une larme ou deux au rappel d'un ancien chagrin d'amour.

Voilà des cas extrêmes d'apitoiement authentique mais facilement identifiables par quiconque en a déjà été témoin ou l'a déjà ressenti jusqu'à vouloir exploser en sanglots. Il consiste essentiellement en un repliement total sur soi-même. Nous pouvons devenir si concentrés sur notre personnage que nous en perdons tout contact avec autrui. Il n'est pas facile de s'accommoder avec un tel personnage, à moins qu'il ne s'agisse d'un enfant malade. Alors, quand nous devenons ainsi victimes d'une pareille compassion, nous tentons de la dissimuler, particulièrement à nous-mêmes. Mais là n'est pas la solution.

Au contraire, il nous faut nous extraire de cet enlisement et prendre un peu de recul pour obtenir une perspective de soi juste et honnête. Une fois l'apitoiement identifié sous son vrai jour, nous pouvons commencer à le combattre autrement que par l'alcool.

Nos amis peuvent nous être d'autant plus utiles qu'ils sont près de nous et capables d'un échange à cœur ouvert. Ils peuvent percevoir la note discordante de notre complainte et nous la signaler. Ou nous pouvons l'entendre nous-mêmes et commencer à identifier nos véritables sentiments tout simplement en les exprimant à haute voix.

L'humour est une autre arme efficace. La description de sa dernière crise d'apitoiement faite par un membre au cours d'une réunion A.A. provoque les plus fortes explosions de rire et nous transporte, comme auditeurs, dans un kiosque à miroirs déformants. Et voilà que nous, hommes et femmes adultes, nous nous retrouvons aux prises avec les émotions d'un bambin. Malgré le choc possible, l'hilarité générale allège la douleur et produit finalement un effet salutaire.

Nous pouvons aussi combattre l'apitoiement dès ses premiers symptômes par une comptabilité instantanée. Pour chaque entrée de malheur débitée, nous trouvons un bienfait à créditer. La santé, l'absence de maladie, les amis chers, le beau temps, la perspective d'un bon repas, des membres indemnes, les gentillesses partagées, un "vingt-quatre heures" sobre, une heure de travail profitable, un bon livre à lire et de nombreux autres facteurs peuvent s'additionner pour compenser le passif, cause de notre apitoiement.

La même méthode peut servir à dissiper la nostalgie des vacances, qui n'est pas exclusive aux alcooliques. Beaucoup d'autres gens sombrent dans l'abîme de l'apitoiement à l'occasion des fêtes de Noël et du Nouvel An, lors d'anniversaires de naissance ou autres. En A.A., nous apprenons à déceler cette vieille inclination à entretenir la mélancolie, à resasser la liste des personnes disparues, de celles qui nous ignorent, et à déplorer la modicité de nos générosités en comparaison de celle des riches. Maintenant que nous sommes sobres, nous portons au grand livre, côté crédit, notre reconnaissance pour une bonne santé, pour les êtres chers qui nous entourent, pour notre faculté d'aimer. Et une fois de plus, le solde apparaît dans la colonne des crédits.

23 Recourir aux services professionnels

Il est probable que tout alcoolique rétabli a requis et recherché des services professionnels qu'A.A. n'offre pas. Par exemple, les deux premiers membres A.A., les co-fondateurs, ont éprouvé le besoin et ont obtenu les secours de médecins, d'hôpitaux et de membres du clergé.

Une fois devenus sobres, plusieurs de nos problèmes semblent disparaître. Mais certains autres persistent ou apparaissent, qui requièrent l'intervention professionnelle d'un spécialiste, tel un obstétricien, un pédicure, un avocat, un pulmologue, un dentiste, un dermatologue, ou quelque psychologue.

Comme A.A. n'offre pas de pareils services, nous nous en remettons au milieu professionnel pour trouver du travail, obtenir une orientation professionnelle, des avis en relations familiales, des conseils sur des problèmes psychiatriques et plusieurs autres. A.A. ne fournit pas d'aide financière, de nourriture, de vêtements, ni de logement aux buveurs maladifs. Mais il existe de bonnes agences professionnelles et autres services particulièrement destinés à aider tout alcoolique recherchant sincèrement la sobriété.

Avoir besoin d'aide ne constitue pas un signe de faiblesse et il ne faut pas en avoir honte. Se priver "par orgueil" du soutien précieux d'un professionnel dénote une fierté mal placée. Il n'y a là que pure vanité en plus d'un obstacle au rétablissement. Plus on acquiert de maturité, plus on recherche le maximum en matière de conseils et de secours.

En étudiant les "histoires de cas" chez les alcooliques rétablis, il devient évident que nous avons tous profité, à un moment donné, des services spécialisés de psychiatres et autres médecins, d'infirmières, de conseillers, de travailleurs sociaux, d'avocats, de membres du clergé ou d'autres professions. le Gros Livre A.A. "Alcooliques Anonymes" recommande spécifiquement de recourir à ce genre d'aide (page 94). Fort heureusement, nous n'avons relevé aucun conflit entre la philosophie A.A. et les sages conseil d'un professionnel compétent en matière d'alcoolisme.

Nous ne nions pas que des alcooliques ont connu plusieures expériences malheureuses attribuables à certains professionnels, hommes et femmes. Mais elles se retrouvent plus souvent chez les non alcooliques, du fait qu'ils sont plus nombreux. On n'a encore jamais rencontré un médecin, pasteur ou avocat absolument parfait, prémuni contre toute erreur. Et tant et aussi longtemps que les malades existeront, il est probable qu'il se glissera toujours des erreurs dans le traitement de la maladie.

En toute franchise, nous devons admettre que les personnes malades d'alcoolisme ne sont pas les plus faciles à traiter. Il nous arrive de mentir et de négliger les perscriptions. Une fois rétablis, nous reprochons au médecin de n'avoir pas su réparer plus tôt les ravages que nous avons mis des semaines, des mois ou des années à nous infliger. Nous n'étions pas trop empressés de payer nos comptes. Et à maintes reprises, nous nous sommes efforcés de saper les bons soins et les sages conseils, de manière à inculper le consultant professionnel. La victoire s'avérait mesquine et trompeuse puisqu'au bout du compte, nous devions en subir les conséquences.

Aujourd'hui, nous sommes conscients que notre comportement nous a privés des sages conseils ou des bons soins alors nécessaires. Ces agissements préjudiciables s'expliquent par la nature même de notre maladie. L'alcool est rusé et déroutant. Il peut contraindre ses victimes à l'auto-destruction, à l'encontre de leur jugement personnel ou de leurs véritables désirs. Nous n'avons pas projeté de plein gré de détruire notre propre santé; notre dépendance vis-à-vis l'alcool ne faisait que se protéger contre toute intrusion médicale.

Nous devons déceler un signal d'alarme si, maintenant que nous sommes sobres, nous essayons toujours de sous-estimer les professionnels compétents. L'envie de boire serait-elle en train de s'infiltrer à nouveau?

Par exemple, il peut être difficile à un nouveau membre de bénéficier de secours professionnels valables, en raison des opinions et des recommandations contradictoires émises par d'autres alcooliques rétablis. De même que toute personne a un remède de prédilection contre le lendemain de cuite ou un simple rhume, elle peut aussi préférer certains médecins à d'autres.

Bien sûr, il est sage de puiser à même l'abondante sagesse accumulée par les alcooliques déjà bien engagés sur la voie du rétablissement. Mais ce qui est efficace pour certains ne l'est pas nécessairement pour vous. Chacun de nous doit personnellement accepter l'ultime responsabilité de ses faits et gestes ou de sa passivité. Il nous appartient d'en décider.

Après avoir envisagé toutes les hypothèses, consulté vos amis, pesé le pour et le contre, il vous revient finalement de décider de recourir à des soins professionnels. Que vous deviez ou non prendre de l'Antabuse, suivre une psychothérapie, retourner aux études ou changer d'emploi, subir une opération, vous soumettre à un régime, cesser de fumer, vous conformer ou non à l'avis de votre avocat au sujet de vos taxes, il vous revient en propre d'en décider. Nous respectons votre droit d'agir à votre guise et même de changer d'opinion, suivant les circonstances.

Naturellement, le verdict des médecins, psychologues ou autres spécialistes ne concorde pas toujours exactement avec les sujets que nous abordons dans ce manuel. Et c'est très bien ainsi. Comment pourrait-il en être autrement? Ils n'ont pas été personnellement affectés par l'alcoolisme comme nous et rares sont ceux qui ont observé aussi longtemps que nous tant de buveurs malades. Par contre, nous ne bénéficions pas de la formation et de la discipline professionnelle qui les ont rendus aptes à remplir leurs tâches.

Il ne s'ensuit pas qu'ils aient raison et que nous ayons tort, ou vice versa. Nous avons, de part et d'autre, des rôles et des responsabilités différentes auprès des alcooliques.

À ces égards, puissiez-vous avoir autant de veine que beaucoup d'entre nous. Par centaines de milliers, nous sommes profondément reconnaissants à ces innombrables hommes et femmes de toutes professions qui nous sont venus en aide ou qui ont tenté de le faire.

24 Évitez les situations émotives

Tomber amoureux de son médecin, de son infirmière ou d'un camarade d'hôpital représente une aventure romantique classique. Les alcooliques en voie de rétablissement sont tous exposés à ce genre de fièvre. À vrai dire, l'alcoolisme ne semble immuniser contre aucune condition humaine connue.

Suivant un très vieux dicton, le chagrin est né d'un cœur trop vif. Il en est ainsi pour d'autres difficultés, y compris une rechute alcoolique.

À l'époque où nous buvions, nous consacrions un temps considérable à nous soucier de nos relations personnelles intimes. Que nous recherchions des amitiés temporaires ou plus profondes et plus longues, nous demeurions préoccupés de notre engagement avec les gens, quelqu'en soit le degré.

Plusieurs imputaient notre habitude de boire à un manque d'affection, nous voyant toujours en quête d'amour et rôdant de bars en réceptions, un verre à la main. D'autres semblaient jouir de toutes les relations émotives désirées ou recherchées mais n'en continuaient pas moins de boire. Quoi qu'il en soit, nous ne devons certainement pas attribuer à l'alcool notre compréhension de l'amour véritable ni notre faculté d'y parvenir et de l'entretenir une fois conquis. Au contraire, notre vie de buveurs nous a laissés émotionnellement affaissés, déchirés, tordus, meurtris, sinon carrément pervertis.

Ainsi, suivant notre expérience, nos premiers jours de sobriété peuvent s'avérer être des périodes de grande vulnérabilité émotive. S'agirait-il d'un effet pharmacologique prolongé de l'alcool? S'agirait-il de la condition normale d'une personne se rétablissant d'une longue et grave maladie? Serait-ce l'indice d'une déficience marquée de la personnalité? Peu importe la réponse. Quelle qu'en soit la cause, notre condition requiert beaucoup d'attention car la tentation de boire peut devenir plus rapide que l'œil, la tête ou le cœur; nous avons été témoins de rechutes nombreuses et diverses. Dans l'euphorie et la joie de nos premiers moments de bien-être, nous pouvons développer un béguin fou pour de nouvelles connaissances, tant dans A.A. qu'ailleurs, surtout si elles nous manifestent un intérêt sincère ou une certaine admiration. Le ravissement subit que nous en ressentons peut nous induire fortement à boire.

Des émotions inverses peuvent également se produire. Pendant un certain temps au début de notre sobriété, nous pouvons avoir l'impression d'être tellement indolents que nous sommes presqu'indifférents à toute affection. (Selon les médecins, durant cette même période, il est fréquent que certaines gens devenus sobres perdent pendant plusieurs mois tout intérêt ou même presque toute puissance sexuelle mais, une fois rétablis, ce problème se résout superbement de lui-même; nous en savons quelque chose!) Tant que nous ne sommes pas rassurés que cete indolence est temporaire, la nostalgie de l'alcool peut exercer une fascination éminemment dangereuse.

Notre fragilité émotive peut aussi affecter nos sentiments envers nos parents et amis de toujours. Généralement, ces relations semblent se normaliser au rythme même de notre rétablissement. Certains traverseront une période délicate au foyer; devenus sobres, nous devons réévaluer nos

sentiments à l'égard de notre conjoint, de nos enfants, de nos frères et
sœurs, de nos parents ou voisins et considérer également notre comportement. Il en est ainsi envers nos collègues de travail, nos clients, nos
employés ou nos employeurs.

(Souvent, notre façon de boire a produit un choc émotif si grave sur nos
proches qu'eux aussi ont besoin d'aide pour s'en libérer. Ils peuvent
s'adresser aux groupes familiaux Al-Anon ou Alateen (consultez votre
annuaire téléphonique). Même si ces associations ne sont pas officiellement reliées à A.A., elles lui ressemblent beaucoup et permettent à nos
parents et amis non-alcooliques de vivre plus confortablement, grâce à
une meilleure connaissance de l'alcoolique et de sa condition.

Avec les années, nous avons acquis la ferme conviction qu'aucune
décision importante ne doit être prise au début de notre sobriété, à moins
qu'il ne soit impossible de la reporter. Cet avertissement vaut particulièrement pour les décisions affectant des personnes, car elles sont
fortement chargées d'émotivité. Il n'est pas opportun, au cours des
premières semaines de sobriété, de s'engager dans des changements importants.

De plus, il s'est avéré nettement désastreux de faire dépendre notre
sobriété d'une personne qui nous tient à cœur. Il est malsain pour notre
rétablissement de dire: "Je resterai sobre si un tel ou une telle fait ceci
ou cela". Il nous faut demeurer sobres pour nous-mêmes, peu importe ce
que les autres font ou ne font pas.

Nous devrions aussi nous rappeler qu'une vive aversion produit un
désordre émotif et s'identifie souvent à un rappel d'anciennes amours. Il
nous faut refroidir *tout* débordement affectif pour éviter de chavirer à
nouveau dans l'alcool.

Il est facile de vous considérer comme une exception à cette règle.
Sobres de fraîche date, vous pouvez croire en toute bonne foi que vous
avez enfin trouvé le *grand* amour ou que votre présente aversion, tenace
en dépit de votre sobriété, signifie que la base de cette relation a toujours
été fondamentalement erronée. Dans un cas comme dans l'autre, vous
avez *peut-être* raison, mais pour le moment, il vaut mieux attendre pour
voir si votre attitude ne changera pas.

À maintes reprises dans l'espace de quelques mois de sobriété,
avons-nous vu de tels sentiments se transformer de façon dramatique.
C'est ainsi qu'en invoquant notre slogan "L'important d'abord", nous
nous sommes félicités de nous en être tenus uniquement à notre sobriété,
évitant *tout* risque d'orage émotif.

Les liaisons irréfléchies ou précipitées sont néfastes à notre rétablissement. Quand notre sobriété aura atteint un certain degré de maturité, alors seulement serons-nous en mesure de nouer des relations réfléchies avec d'autres personnes.

Lorsque cette sobriété repose sur une base assez solide pour supporter le stress, nous sommes aptes alors à aborder et à corriger d'autres aspects de nos vies.

25 Échapper au piège des "SI"

Les embarras émotifs avec les gens sont loin d'être les seuls facteurs extérieurs à menacer dangereusement notre sobriété. Certains ont inconsciemment tendance à assujettir leur sobriété à d'autres conditions.

Voici comment s'exprime un membre A.A.: "Nous, les ivrognes*, sommes amateurs du mot "si". Durant notre période active, nous étions souvent aussi pleins de *si* que d'alcool. Bon nombre de nos rêvasseries s'amorçaient sur un *'si seulement...'* Et nous ne cessions de murmurer que nous ne serions pas devenus ivres *si* telle ou telle chose n'était pas arrivée ou que nous n'aurions aucun problème d'alcool *si* seulement...

Nous trouvions toujours des explications (excuses?) personnelles à notre alcoolisme que nous ajoutions après le dernier *si.* Chacun se disait: je ne boirais pas ainsi...

Si ce n'était de ma femme (ou de mon mari, ou d'une liaison)... si seulement j'avais plus d'argent et moins de dettes... ci ce n'était de tous ces problèmes familiaux... si je n'étais pas soumis à tant de pression... si j'avais un meilleur emploi ou un logis plus agréable... si les gens me comprenaient... si la situation mondiale n'était pas si lamentable... si les humains étaient meilleurs, plus prévenants, plus honnêtes... si chacun ne s'attendait pas à ce que je m'enivre... si ce n'était de la guerre (n'importe quelle guerre)... et ainsi de suite.

---

* Certains membres A.A. s'identifient comme des "ivrognes", peu importe la durée de leur sobriété. D'autres préfèrent le terme "alcooliques". Les deux mots se défendent très bien. "Ivrogne" dit d'un ton enjoué, maintient notre ego à de justes proportions et nous rappelle notre fragilité devant un verre. Le mot "alcoolique" est également approprié, tout en ayant une portée plus digne et plus conforme à l'idée généralement répandue que l'alcoolisme est une maladie tout à fait respectable et non une complaisance bienveillante.

Après avoir considéré cette façon de penser et notre conduite en résultant, nous réalisons maintenant que nous abandonnions presque totalement aux circonstances extérieures la maîtrise de nos vies.

Dès que nous cessons de boire, la plupart de ces circonstances reprennent leur place normale dans notre esprit. Au niveau personnel, plusieurs d'entre elles se dissipent au tout début de notre sobriété et quant aux autres, la solution vient d'elle-même.

Dans l'intervalle, grâce à notre sobriété, notre vie ne cesse de s'améliorer, quoi qu'il arrive par ailleurs.

Pour plusieurs d'entre nous, après une certaine période de sobriété, voilà que survient tout à coup, pan, une nouvelle découverte qui nous frappe brusquement. Cette ancienne façon de penser en "si" remontant aux jours de nos beuveries refait soudainement surface pour conditionner notre abstinence. Inconsciemment, nous avons assujetti notre sobriété à certaines conditions. Nous avons commencé à croire que rien ne vaut la sobriété, *si* tout va bien ou *si* rien ne nous dérange.

En effet, nous oublions la nature biochimique et irréversible de notre maladie. L'alcoolisme ne tolère aucun *si*. Il ne nous quitte pas, ni pour une semaine ni pour un jour, ni même pour une heure, pour nous transformer en non-alcooliques capables de boire à nouveau en certaines occasions spéciales ou pour une raison particulière, pas même s'il s'agit de fêter un événement unique ou s'il s'agit de noyer un chagrin immense, ni s'il pleut en Espagne ou si les étoiles tombent sur l'Alabama. L'alcoolisme est pour nous intransigeant et ne supporte d'écart à aucun prix.

Peut-être faudra-t-il un certain temps pour nous en convaincre au plus profond de nous-mêmes. Et il nous arrivera parfois de ne pas reconnaître les conditions auxquelles nous avions inconsciemment assujetti notre sobriété, jusqu'à ce que surviennent des difficultés sans qu'il y ait faute de notre part. Soudain, vlan! la catastrophe nous arrive sans même avoir *été* prévue.

Face à un désappointement atroce, l'envie de boire surgit naturellement. Si nous n'obtenons pas l'augmentation, la promotion ou l'emploi escompté, ou si notre vie amoureuse périclite, ou si quelqu'un nous manque d'égards, alors pourrons-nous comprendre que durant tout ce temps, nous avons compté sur les circonstances pour persévérer dans notre sobriété.

Quelque part, enfouie dans un repli de notre cerveau, se cachait une mignonne réserve, condition de notre sobriété. Et elle attendait son heure de faire surface. Nous continuions de croire: "Ah! oui, la sobriété est formidable et j'entends bien la conserver.'' Et nous ne pouvions même pas entendre le subtil murmure: "C'est-à-dire *si* tout va à mon gré''.

Nous ne pouvons nous permettre ces *si*. Il nous faut demeurer sobres, nonobstant notre condition de vie, nonobstant la réaction positive ou négative des non-alcooliques à l'égard de notre sobriété. Nous devons l'affranchir de toute dépendance, ne l'assujettir à aucune autre personne et ne la limiter sous aucun prétexte ou condition.

Maintes et maintes fois, nous avons constaté qu'il nous était impossible de demeurer sobres longtemps, uniquement pour l'amour de notre époux, de notre épouse, de nos enfants, d'un amant, d'une maîtresse, de notre famille, d'un parent ou d'un ami, ni à cause d'un emploi, ni pour le bon plaisir d'un patron (d'un médecin, d'un juge ou d'un créancier), ni à cause de *personne* autre que nous-mêmes.

Il est insensé et dangereux d'assujettir notre sobriété à *quelque* personne (fut-elle un alcoolique rétabli) ou à *quelque* circonstance que ce soit. À chaque fois que l'on se dit: "Je demeurerai sobre *si...*'' ou ''Je ne boirai pas à cause de...'' (ajoutez toute circonstance autre que votre volonté d'être bien, dans l'intérêt de votre propre santé), nous nous disposons inconsciemment à boire dès que la condition, la personne ou la circonstance change. Et tous ces éléments peuvent changer à tout moment.

Libre de toute dépendance ou affiliation, notre sobriété peut croître assez solidement pour nous permettre de faire face à toute personne et de surmonter toute difficulté. Et, comme vous pourrez vous en rendre compte, nous en venons même à aimer relever ce défi.

26 Se méfier des occasions de boire

Dans certaines circonstances où les gens consomment de l'alcool, nous avons adopté divers comportements qui nous permettent de nous amuser sans boire.

Au huitième chapitre nous avons traité de l'opportunité de garder des spiritueux ou autres boissons alcooliques à la maison après avoir décidé d'arrêter de boire. Nous avons alors reconnu que nous vivons dans une société fortement alcoolisée et que nous ne pouvons pas, en toute objectivité, compter sur un changement de cette situation. Jusqu'à la fin de nos jours, il se présentera des occasions de boire. il est probable que tous les jours, nous verrons des bars, des gens boire et des réclames à la douzaine nous incitant, même verbalement, à consommer de l'alcool.

Nous ne pouvons nous soustraire à toutes ces suggestions et il est inutile de nous en plaindre. Nous n'éprouvons ni le besoin ni le désir d'empêcher les autres de boire. Nous avons aussi découvert qu'il n'est pas nécessaire de nous priver de l'agréable société de gens faisant usage d'alcool. Au *tout* début de notre sobriété, bien qu'il soit prudent de fréquenter des abstinents plutôt que des consommateurs d'alcool, nous n'avons aucunement l'intention de nous retirer du monde à tout jamais parce que tant de personnes boivent. Les personnes allergiques au poisson, aux noix, au porc ou aux fraises ne se réfugient pas pour autant dans les cavernes. Pourquoi devrions-nous le faire?

Nous arrive-t-il de fréquenter des bars, des restaurants ou des clubs où l'on sert des boissons alcooliques?

Oui, après quelques mois ou semaines de sobriété, si nous avons une raison *valable* d'y aller. Si nous devons y passer quelques moments à attendre des amis, il est préférable de ne pas occuper un tabouret près du comptoir pour prendre un cola. Mais si notre présence dans un tel endroit s'explique par rendez-vous d'affaires ou une réunion mondaine, nous y participons activement, exception faite de l'alcool.

Au cours des premiers mois d'abstinence, il est sans doute plus sain de nous tenir à l'écart de nos anciens copains et lieux de rendez-vous de beuveries et de prévoir des excuses plausibles pour esquiver les réceptions dont l'alcool sera l'attraction principale. Il semble particulièrement important de fuir de telles occasions si elles nous rendent nerveux.

Mais tôt ou tard vient le moment où des obligations d'affaires, de famille ou d'amitié nous contraignent d'y aller, à moins que nous en ayons tout simplement envie. Même si nous observons l'abstinence, nous avons élaboré diverses méthodes de rendre ces occasions tolérables. Ici, nous faisons surtout allusion à cette grande réception-cocktail ou à cette soirée-buffet nombreuse et amicale où l'alcool coule à flots.

Si l'hôte ou l'hôtesse est un ami intime, il peut être parfois salutaire de le ou la prévenir que présentement, nous nous abstenons d'alcool. Bien sûr, nous ne sollicitons aucun traitement de faveur, mais il est réconfortant de pouvoir compter sur au moins une personne présente, tout à fait sympathique à nos efforts en vue de maîtriser notre problème d'alcool. Parfois, on peut aussi se faire accompagner d'une personne sobre plus aguerrie ou au moins d'un compagnon au courant de notre abstinence et conscient de l'importance que nous y attachons.

Avant de partir, il est également profitable de vous entretenir avec un autre alcoolique rétabli ou avec un complice qui se préoccupe de votre santé et comprend parfaitement les contraintes de la situation. Au retour, faites en sorte de lui téléphoner pour lui en faire le récit. Un alcoolique rétabli ne saurait qu'être enchanté de ce genre d'appel. Croyez-nous! Nous, membres A.A., vibrons à un tel partage,

Avant de vous rendre à une réception, il est recommandable de manger un sandwich ou toute autre collation, même si vous êtes au courant que l'on vous y servira un goûter. Comme nous l'avons déjà mentionné, un estomac bien repu nous protège contre les menaces de nombreuses situations difficiles. (Vous pourriez aussi vous munir d'une réserve de vos menthes préférées ou d'un substitut diététique.) Cette précaution est plus importante encore si, lors d'une réception, vous prévoyez devoir supporter de longues heures de libations avant d'être invités à table.

Si vous êtes prévenus du programme, vous pouvez préférer escamoter la première heure ou une partie de l'apéritif pour n'arriver que peu avant le dîner. Tel est notre comportement. Puis, si la beuverie doit se prolonger tard dans la nuit après le repas, nous avons conclu qu'il valait mieux quitter tôt. Nous nous sommes rendus compte que les rares invités au courant de notre esquive ne s'en soucient guère. Ils sont trop occupés à boire ou à faire autre chose.

Dès notre arrivée à une telle réception, il est généralement recommandable de nous diriger directement vers le bar pour y prendre un soda au gingembre ou autre breuvage. Personne n'est en mesure de savoir si le contenu de notre verre est alcoolisé ou pas. Nous pouvons alors circuler et converser, le verre à la main sans nous attirer de soupçons.

La première expérience de ce genre fut tout à fait révélatrice à plusieurs. À notre grande surprise, nous avons découvert que (1) les autres personnes ne boivent pas comme nous le pensions et que (2) rares sont celles qui nous surveillent ou se préoccupent si nous buvons ou non de l'alcool. Vraisemblablement, les exceptions se retrouvent chez nos amis intimes ou nos parents qui se réjouissent de nos efforts pour résister à l'alcool.

Plusieurs se plaisaient à répéter et croyaient que "tout le monde" buvait de l'alcool, et nous pouvions soutenir que nous ne buvions pas beaucoup plus que les autres buveurs de notre connaissance. Pour être francs, au rythme des années et de notre alcoolisme, nous nous dissocions de plus en plus d'avec les non-buveurs pour en arriver à croire que "tout le monde", oui, tout le monde que nous connaissions buvait.

Devenus sobres, quand nous observons "tout le monde", nous sommes surpris de constater que tous les gens ne boivent pas nécessairement et que plusieurs boivent beaucoup moins que nous le supposions.

Craignant de telles occasions, l'alcoolique nouvellement sobre se demande quoi répondre si des amis ou des parents l'apostrophent ainsi:

"Allons prendre un verre."

"Que bois-tu?"

"Quoi, tu ne peux *pas* être un alcoolique!"

"Tu ne bois pas?"

"Un seul verre ne peut faire tort."

"Pourquoi ne bois-tu pas?"

... et ainsi de suite.

À notre grand soulagement, nous avons constaté que ces questions se posent bien moins souvent que nous ne l'appréhendions et nos réponses semblent ne pas avoir autant d'importance que nous l'imaginions. Notre abstinence soulève moins d'émoi que nous l'avions cru.

Il y a une exception. De temps à autre, un gros buveur nous harcèlera au sujet de notre abstinence. La plupart en viennent à considérer cette attitude comme très suspecte. Les gens civilisés et bien élevés ne font tout simplement pas tant d'histoires sur ce que les autres peuvent boire et manger ou ne pas boire ou manger, à moins, n'est-ce pas, qu'ils cultivent certaines idées fixes. Il nous paraît étrange qu'on veuille ainsi forcer à boire celui qui n'en a pas envie; et pourquoi souhaiterait-on voir boire à nouveau une personne qui a cessé de le faire en raison d'un problème d'alcool?

Nous apprenons à nous tenir à distance de ces gens. Si vraiment ils sont eux-mêmes aux prises avec leur obsession, nous leur souhaitons bonne chance. Mais nous n'avons pas à justifier notre comportement, ni à eux ni à personne d'autre. Et nous ne discutons pas avec eux ni n'essayons de les faire changer d'avis. Là encore, notre attitude est: "vivre et laisser vivre".

Mais revenons à ces questions posées poliment et par hasard par des amis ou des parents bien intentionnés, et aux réponses possibles. Il y a probablement autant de façons d'aborder ces situations qu'il y a de non-buveurs, et c'est votre propre jugement qui pourra vous dicter la méthode la plus efficace et la plus appropriée.

Néanmoins, l'expérience des Alcooliques Anonymes accumulée pendant plus de quarante ans permet de dégager les grandes lignes de nombreuses méthodes efficaces. Nous aurions tort de ne pas puiser à même ces réserves de sagesse.

La majorité croit qu'il vaut mieux pour nous de dire la vérité à notre entourage le plus tôt possible. Il n'est pas nécessaire de simuler car les gens bien intentionnés sauront reconnaître notre honnêteté et encourager nos efforts à nous libérer de notre dépendance. Il est grandement utile de proclamer ouvertement notre abstinence pour renforcer notre propre détermination de demeurer sobres. Et il peut y avoir un effet secondaire: une telle déclaration est de nature à encourager, à l'occasion, celui qui, l'ayant entendue, éprouve le besoin ou le désir de ne plus boire.

Comme résultat, nous n'hésitons pas, les circonstances s'y prêtant, à déclarer: "Maintenant, je ne bois plus".

Notre interlocuteur sera souvent satisfait de nous entendre dire: "Je ne bois pas aujourd'hui (ou cette semaine)", ou simplement "Non, merci", ou carrément: "Je n'en ai pas envie".

Si nous croyons nécessaire d'expliquer davantage, nous voulons le faire sans mentir, de manière à être facilement compris et accueillis des autres. Par exemple, il y a toujours les fameux prétextes: "raisons de santé"... "diète alimentaire"... "prescription du médecin". Qui d'entre nous, à un moment ou l'autre, n'a pas reçu de son médecin une prescription à cet effet, soit verbalement ou par écrit?

"J'ai eu mon quota", "Je suis saturé", "J'y suis allergique", sont autant de réponses plausibles.

Bien que dans le milieu A.A., nous n'employions pas l'expression "au régime sec", notre abstinence n'en est pas moins comprise et respectée dans la mesure où nous n'incitons pas les autres à la partager.

Même si nous ne pouvons certainement pas recommander le mensonge à cause des malaises qu'il nous cause, il est arrivé, à l'occasion, de recourir à un petit mensonge inoffensif, à une de ces petites tromperies sans conséquence et parfois décrites comme stratagème indispensable à l'harmonie des relations sociales.

Si, pour éviter de boire, nous devons marmonner des faux-fuyants préfabriqués, nous essayons d'éviter de recourir à des prétextes aussi embigus que: "Je souffre d'un mal mystérieux", ou "Je suis sous traitement", susceptibles d'imposer le silence mais aussi de soulever des questions supplémentaires.

Il est généralement suffisant de déclarer: "J'y suis allergique". À vrai dire, en termes purement scientifiques, de l'avis des spécialistes, l'alcoolisme n'est pas une véritable allergie. Il n'en reste pas moins que le terme "allergie" caractérise assez fidèlement notre état qui ne tolère aucune consommation d'alcool sous peine de conséquences désastreuses.

Lorsque nous invoquons cette raison, elle produit ordinairement l'effet désiré, à savoir qu'on accepte le fait de notre abstinence momentanée et qu'on cesse de nous interroger sur ce sujet.

Si l'on s'informe sur nos préférences, il est convenable et bienséant de demander un breuvage non alcoolisé et de l'accepter avec empressement, même s'il n'est pas notre favori. Nous pouvons prendre une eau gazeuse, un jus de fruits ou de légumes, ou tout autre breuvage non toxique d'usage courant. (Il est facile de feindre de boire lorsque nous n'en sommes pas friands ou que nous n'avons pas soif.) Cette attitude nous détend et libère nos hôtes qui se sentent obligés de remplir les verres et paraissent mal à l'aise de ne pas voir un invité le verre aux lèvres.

Prendre place à une table garnie de verres de vin lors d'un banquet solennel ne pose aucun problème particulier. Il suffit de retourner un verre pour signifier notre abstention à tout garçon de table ou maître d'hôtel avisé, même en Europe, royaume du vin. Comme substitut, nous demandons une eau de seltz ou une autre eau minérale gazeuse. Ainsi, lorsq'un toast est proposé, nous ne sommes l'objet d'aucune attention particulière si nous levons *notre* verre avec son contenu. Après tout, n'est-ce pas le geste symbolique amical plutôt que la présence d'acool dans un verre ou une coupe d'amitié qui donne à un toast sa valeur véritable?

Personne n'est obligé de répondre à des questions impolies ou indiscrètes. Si, d'aventure, l'une d'elles nous est posée, nous pouvons soit l'ignorer, la contourner ou dévier le sujet. Le cas échéant, rappelez-vous que, malgré les apparences, nous sommes des centaines de milliers d'alcooliques rétablis à nous ranger de votre côté et à très bien comprendre le défi que vous relevez et vos raisons de le faire. Même si nous ne sommes pas présents de corps, nous pouvons vous assurer de notre soutien, autant de cœur que d'esprit.

Nous désirons partager avec vous une autre expérience. N'étant pas particulièrement sérieuse ou dangereuse, son récit pourra néanmoins vous éviter d'être bouleversés si jamais elle vous arrive. De temps à autre, un ami ou un membre de notre famille, bien inspiré et bien intentionné, exagère par inadvertance l'importance de notre rétablissement et, voulant seulement nous aider, peut nous mettre dans l'embarras si nous n'avons pas assez d'aplomb pour dominer la situation.

Par exemple, l'épouse non-alcoolique, dans la crainte fort compréhensible que nous puissions boire à nouveau et dans son désir excessif de nous protéger, échappera: ''Un tel a cessé de boire''. Ou un ami zélé signalera sans réfléchir notre abstinence en désignant du doigt l'unique verre de jus de tomate de tout le plateau de consommations en disant: ''Celui-là, c'est pour vous''.

C'est très gentil à eux de vouloir nous aider et il faut nous en tenir uniquement à leur bonne volonté. En toute bonne foi, on ne peut s'attendre à ce qu'ils comprennent immédiatement ce que nous ressentons. Certains ne peuvent même pas identifier leur véritable état d'âme tant qu'ils ne sont pas parvenus à une certaine période de sobriété et à la phase de la maîtrise de soi.

D'ordinaire, nous préférons avoir le privilège de nos propres choix, dans l'intimité, la discrétion et sans apparat. Mais en devenant trop sensibles aux paroles ou aux gestes des autres, nous ne parvenons qu'à nous blesser nous-mêmes. Il vaut vieux essayer de faire bonne contenance en attendant que le moment passe. L'incident est généralement oublié en moins de cinq minutes. Devenus calmes, plus tard, il nous sera possible d'expliquer que nous apprécions sincèrement leur sollicitude mais que nous préférerions expliquer nous-mêmes nos propres attitudes. Nous pourrions ajouter que nous aimerions nous entraîner à l'autonomie personnelle dans les situations sociales, pour empêcher qu'une autre personne ne s'inquiète à notre sujet une fois laissés à nous-mêmes.

Après un terme plus ou moins long, nous accédons à un état de paix profonde avec nous-mêmes et avec notre abstinence; nous sommes assez dégagés pour avouer l'exacte vérité, c'est-à-dire que nous sommes des ''alcooliques rétablis'', ou que nous sommes membres A.A.

Une telle révélation sur notre propre compte faite confidentiellement de personne à personne n'offense en rien la tradition A.A. de l'anonymat, qui suggère de ne révéler que les faits nous concernant *personnellement* et d'éviter toute publicité par les média.

Parler ainsi de nous-mêmes avec aisance démontre que nous n'avons rien à cacher et que nous n'éprouvons aucune gêne à nous rétablir de notre maladie, en plus de contribuer à nous revaloriser. De telles déclarations réparent les anciennes et cruelles flétrissures injustement infligées aux victimes de notre maladie par des personnes ignorantes et aident à substituer une perception plus conforme de la réalité aux notions dépassées et stéréotypées d' ''un alcoolique''.

Soit dit en passant, de pareils aveux pourront très souvent inciter une autre personne désireuse de surmonter un problème d'alcool à rechercher quelque assistance.

Un dernier mot au sujet de ces occasions de boire. Certains alcooliques plus audacieux, lorsque l'incitation à boire devient pressante au point d'en être désagréable, s'excusent sans plus de cérémonie et quittent les lieux, sans se soucier de l'opinion des autres. Après tout, c'est notre vie qui est en jeu. Nous devons simplement prendre tous les moyens nécessaires pour protéger notre santé. Peu *nous* importe ce que les autres en pensent.

27 Abandonner nos vieux préjugés

La mentalité qui a si profondément marqué nos vies de buveurs ne disparaît pas subitement comme par magie dès que nous refermons les flacons. Il est peut-être passé ce temps du bon vin et des "Chevaliers de la Table ronde", mais la maladie persiste.

Il nous est apparu salutaire de refouler de nombreuses illusions passées à mesure qu'elles resurgissaient. Et elles reviennent sans cesse. Par nos efforts, nous entendons nous dégager et nous libérer de l'asservissement de notre ancienne façon de penser. Notre mentalité d'autrefois et les idées qu'elle nourrissait constituent une limite à notre liberté. Considérées d'un regard neuf, nous réalisons qu'elles ne servent qu'à nous alourdir et ne sont d'aucune utilité. Rien ne nous *oblige* à nous y attacher davantage, à moins que la preuve soit faite, après examen, qu'elles sont valables et toujours profitables.

Il nous est maintenant possible d'évaluer l'utilité et la véracité d'une pensée grâce à un critère extrêmement précis. Nous pouvons nous dire: "Voilà exactement ma façon de penser au temps où je buvais. M'est-elle utile pour demeurer sobre? M'est-elle suffisante *aujourd'hui?*"

Bon nombre de nos anciennes idées, spécialement celles relatives à l'alcool, à sa consommation, à l'enivrement et à l'alcoolisme (ou si l'on préfère, à la consommation maladive) se révèlent maintenant sans valeur ou même dommageables. Nous éprouvons un immense soulagement d'en être débarrassés. Il suffira peut-être de quelques exemples pour démontrer notre désir de nous défaire de notre vieille mentalité inutile.

À l'époque de notre adolescence, il est apparu à plusieurs d'entre nous que boire était la preuve que nous avions cessé d'être des enfants ou que nous étions devenus des adultes, subtils et habiles, ou assez obstinés pour défier nos parents ou toute autre autorité. Dans l'esprit de plusieurs, la consommation d'alcool est étroitement associée au romantisme, à la sexualité et à la musique, ou au succès en affaires, au jeu du "connoisseur" en vins, à moins que ce ne soit au snobisme mondain. Lorsque l'on fait quelque mention d'alcool à l'école, c'est souvent pour souligner les menaces qu'il représente pour la santé et le permis de conduire, sans plus. Et bien des gens demeurent persuadés que tout usage d'alcool est immoral, qu'il conduit directement au crime, à la misère, à la déchéance et à la mort. Que nos opinions à l'égard de l'alcool aient été positives ou négatives, elles étaient souvent catégoriques et plus émotives que rationnelles.

Il se peut que nos attitudes à son endroit aient plutôt été purement spontanées, un genre de conformisme inconscient à l'opinion générale.

Pour la majorité des gens, l'alcool fait partie intégrante de la vie sociale, comme des agapes inoffensives réunissant certains amis en des occasions et des lieux spécifiques. D'autres ne conçoivent pas manger sans boire. Mais aujourd'hui, nous nous demandons: est-il vraiment impossible, sans alcool, de jouir des plaisirs de l'amitié et de la bonne chère? Notre propre façon de boire a-t-elle été un atout pour nos relations sociales? Notre goût de la fine cuisine en a-t-il été amélioré?

L'ivresse produit des réactions tout à fait extrêmes, favorables ou non. Elle est considérée soit comme une partie de plaisir, soit comme une déchéance. L'idée même de s'enivrer répugne à bien des gens pour différentes raisons. Quant à nous, nous recherchions cet état, non seulement parce que les gens s'attendaient à nous voir ivres et que nous en aimions la sensation, mais aussi parce que les vedettes l'avait glorifié. Ceux qui ne s'enivrent jamais sont insupportables à certaines gens; d'autres méprisent ceux qui s'enivrent *trop*. Jusqu'ici, les découvertes médicales contemporaines ont exercé bien peu d'influence sur ces attitudes.

Quand nous avons entendu pour la première fois le mot "alcoolique", nous l'avons associé exclusivement à ces hommes âgés, déguenillés, tremblotants et répugnants, que nous avons vus mendiant ou ivres morts dans les quartiers mal famés. Les gens bien informés savent aujourd'hui que ces notions sont absurdes.

Néanmoins, lors de nos premiers efforts vers la sobriété, nous entretenions encore une parcelle de ces notions dépassées et sordides. Elles nous brouillaient l'esprit, rendant la vérité difficile à percevoir. Mais nous en sommes venus à accepter de croire qu'il était possible que certaines de nos notions pouvaient être un tant soit peu erronées, ou qu'elles ne reflétaient pas exactement notre expérience personnelle.

Lorsque nous avons consenti à envisager honnêtement notre expérience et à écouter l'opinion des autres, nous avons eu accès à un vaste éventail d'informations que nous n'avions jamais considérées attentivement jusque là.

Suivant une description scientifique, l'alcool n'est pas seulement un breuvage savoureux pour étancher la soif, mais une drogue qui altère la lucidité. On la retrouve non seulement dans les breuvages, mais aussi dans certains aliments et médicaments. Et maintenant, selon les récentes découvertes, les média nous informent presque quotidiennement qu'elle cause également des ravages physiques encore insoupçonnés (au cœur, au sang, à l'estomac, au foie, à la bouche, au cerveau, etc.).

Les pharmacologues et d'autres spécialistes en toxicomanie soutiennent aujourd'hui qu'on ne de doit plus considérer l'alcool comme un produit tout à fait sûr et inoffensif, qu'il soit pris comme breuvage, stimulant, sédatif, tonique ou tranquillisant. D'autre part, l'alcool par lui-même ne cause pas directement et dans tous les cas un tort physique ou une dégradation mentale. Il semble bien que la plupart des gens peuvent en faire un usage modéré sans dommage pour eux-mêmes ou pour les autres.

Du point de vue médical, boire équivaut à consommer une drogue, si bien que l'ivresse résulte de sa consommation excessive. Son usage abusif nous expose, directement ou indirectement, à des problèmes de toutes natures: physique, psychologique, domestique, sociale, financière, professionnelle. Plutôt que de s'arrêter à penser à ce que l'alcool *nous* a causé, nous commençons à nous soucier de ce qu'il cause *à* certaines gens.

Nous avons découvert que peut souffrir "d'alcoolisme" *tout* buveur aux prises avec des troubles divers dus à l'alcool. Cette maladie frappe sans tenir compte de l'âge, de la religion, du sexe, de l'intelligence, de la race, de l'équilibre mental, de l'occupation, de la situation familiale, de la constitution physique, des habitudes alimentaires, du statut économique ou social ou du tempérament en général. La question n'est pas de savoir combien ou comment vous buvez, quand et pourquoi, mais bien quel effet l'alcool produit sur votre comportement et avec quel résultat.

Avant de pouvoir identifier notre propre maladie, nous avons dû nous départir de ce mythe anachronique voulant que ce soit une marque de faiblesse avilissante que d'admettre que nous ne pouvions plus maîtriser la situation (si jamais nous en avions été capables).

Faiblesse? Il faut nécessairement une forte dose de courage pour affronter cette dure vérité, sans rien oublier ni camoufler par des excuses ou des illusions. (Bien qu'il soit inconvenant de nous vanter, plusieurs admettent candidement que nous étions passés maîtres dans l'art de nous illusionner.)

Les préjugés ont aussi compliqué le processus de notre rétablissement de l'alcoolisme. À l'instar de millions d'individus qui ont observé une personne boire jusqu'à la mort, nous nous sommes demandés pourquoi elle n'exerçait pas sa force de volonté pour arrêter. Cette notion, bien que dépassée, persiste à cause de notre prime jeunesse qui nous a proposé le stoïcisme comme modèle. Il y avait aussi cette légende entretenue par la famille ou le voisinage au sujet du cher oncle Joseph. Réputé comme viveur et fêtard pendant des années, il renonça soudain au vin, aux femmes et à la noce vers la cinquantaine pour devenir un modèle d'honnêteté et de droiture sans jamais toucher à une goutte d'alcool.

On s'illusionne dangereusement en croyant en toute naïveté pouvoir en faire autant à notre convenance. Nous ne sommes que nous-mêmes, sans plus. (Nous ne sommes pas comme grand-père qui, à quatre-vingt-dix ans, buvait toujours son litre quotidien.)

Il est bien reconnu aujourd'hui que la puissance de la volonté en elle-même n'est pas plus efficace pour guérir de l'alcoolisme que du cancer. Notre expérience répétée le confirme abondamment. La plupart l'ont essayée seuls dans l'espoir, de diminuer ou d'arrêter de boire, sans aucun succès dans un sens ou dans l'autre. Malgré cela, il nous fut pénible d'admettre que nous avions besoin d'aide. Pour nous, il s'agissait d'un signe de faiblesse car nous étions sous l'empire d'un autre mythe.

Nous nous sommes finalement demandé: "Ne serait-il pas plus logique de rechercher une source d'énergie plus grande que la nôtre et d'y puiser plutôt que de persister dans nos efforts solitaires qui se sont si souvent avérés futiles et inefficaces?" Nous persistons à croire qu'il n'est pas très astucieux de tâtonner dans le noir alors qu'il suffit d'allumer une lampe pour s'éclairer. Nous ne sommes pas devenus sobres uniquement par nous-mêmes comme d'ailleurs on nous l'avait enseigné, pas plus qu'une vie de sobriété ne peut atteindre son plein épanouissement si elle n'est pas partagée.

Dès que nous avons pu substituer à nos anciennes notions quelques idées neuves, même à titre temporaire, nous avions déjà déclenché le départ vers une nouvelle vie plus heureuse et plus saine. Ce résultat s'est produit pour des milliers et des milliers d'alcooliques, comme nous, qui croyaient profondément que c'était impossible.

28 Lire le message A.A.

Pour les humains, nous a-t-on enseigné, la meilleure façon d'apprendre consiste à voir, à toucher aussi bien qu'à entendre; il va de soi que la lecture a pour effet d'augmenter nos connaissances.

Il existe plusieurs bonnes publications sur l'alcoolisme, comme de moins recommandables. Il peut aussi être avantageux de faire certaines autres lectures, même si A.A. n'endosse ou ne conteste aucune publication. Nous proposons les nôtres, tout simplement.

Même des alcooliques ayant très peu lu auparavant s'absorbent des heures durant dans la littérature A.A. À n'en pas douter, pour acquérir une vue d'ensemble et directe de la philosophie A.A., il est de beaucoup préférable de recourir à la lecture au lieu de se contenter du ouï-dire occasionnel.

Il y a cinq livres A.A., en plus d'une autre publication de format identique.

"Alcooliques anonymes"

Ce livre contient les principes fondamentaux de l'expérience A.A.

Comme nous le savons, ce livre est à l'origine du mouvement A.A., ayant été rédigé grâce à la collaboration d'une centaine d'alcooliques qui ont appris à s'aider mutuellement à demeurer sobres. Au terme de quelques années de sobriété, ils ont consigné le récit de leurs expériences auquel on a donné ce titre. C'est alors qu'on commença à désigner notre Fraternité du titre du livre, soit "Alcooliques Anonymes".

Ce livre relate l'expérience originale A.A. par ceux-là mêmes qui l'ont vécue avant de la rédiger. Qu'on s'y réfère souvent ou à l'occasion, il est la pierre angulaire de toute la philosophie A.A. La plupart des membres s'en procurent un exemplaire dès leur arrivée à A.A., afin de puiser à la source les idées fondamentales A.A. plutôt que de les obtenir indirectement ou de personnes interposées.

Les membres désignent souvent "Alcooliques anonymes" comme le "Gros livre", sans cependant le comparer à un texte sacré. On avait d'abord projeté en faire un volume plutôt mince, mais dès sa première impression (1939), en raison de l'épaisseur du papier, il apparut énorme, à la surprise générale, et par plaisanterie fut surnommé le "Gros livre".

La partie essentielle, dont les onze premiers chapitres, est de la main même de Bill W., co-fondateur de A.A. Le livre contient aussi les récits personnels de plusieurs membres tels qu'ils les ont eux-mêmes écrits et divers appendices sur des sujets complémentaires.

Au début, il suffisait de la simple lecture du livre pour amener certaines personnes à la sobriété, alors qu'il n'existait que quelques groupes A.A. dans tout l'univers. Il en est encore ainsi pour certains alcooliques vivant en des régions isolées du monde ou sur des bateaux naviguant en mer.

Les lecteurs assidus de ce livre reconnaissent qu'ils découvrent une signification plus profonde qui leur avait échappé lors d'une première lecture hâtive.

88 VIVRE... SANS ALCOOL!

"Twelve Steps and Twelve Traditions"*

Dans ce livre également écrit par Bill W., on étudie à fond la philosophie A.A. (On l'appelle parfois le "Twelve and Twelve".) Les membres qui veulent approfondir sérieusement le programme de rétablissement A.A. y recourent en parallèle avec le Gros Livre.

Écrit treize ans après la publication d'"Alcooliques anonymes", cet ouvrage moins volumineux décrit les principes du comportement A.A., tant celui des individus que celui des groupes. Les Douze Étapes, guides de la croissance personnelle, avaient été plus sommairement commentées dans le Gros Livre; les principes concernant les groupes, à savoir les Douze Traditions A.A., se sont cristallisés à force de réussites et d'échecs, après la publication du premier livre. Ils caractérisent notre Fraternité, lui conférant une personnalité unique tout à fait différente des autres associations.

"Alcoholics Anonymous Comes of Age**

Ce bref historique raconte les débuts et la croissance de notre Fraternité au cours de ses vingt premières années. On y relate l'histoire d'un petit groupe d'anciens ivrognes, jadis désespérés mais devenus courageux qui, contre toute probabilité, se sont finalement retrouvés au sein d'un mouvement d'une envergure mondiale et d'une efficacité reconnue. Ce récit est d'une lecture fascinante et d'un secours additionnel à notre rétablissement.

"As Bill Sees It"

Ce livre est un recueil des passages les plus substantiels, tirés autant de sa volumineuse correspondance personnelle que des autres écrits de Bill W. Grâce à une table alphabétique des sujets et aux références aux pages, le buveur maladif peut facilement y trouver des réponses à ses questions. Pour nous, une page lue chaque jour éloigne du premier verre.

"Came to Believe..."**

Le sous-titre de ce recueil est "The Spiritual Adventure of A.A. experienced by Experience". Il exprime l'interprétation "d'une puissance plus forte que nous-mêmes" de la part de 75 membres A.A. Elle s'échelonne des conceptions religieuses des orthodoxes jusqu'à celles des humanistes et des agnostiques.

---

* Ce volume n'est pas publié en français. Le sujet en est traité dans "Les Douze Étapes" et "Les Douze Traditions A.A.".

** Version française en préparation.

Brochures

Les Services Mondiaux A.A. Inc., publient également plusieurs brochures traitant de divers aspects de A.A. et des buts spécifiques de certains groupes.

Toutes ont été rédigées avec soin sous l'étroite surveillance de représentants A.A. venus de toutes les régions des Etats-Unis et du Canada, de sorte qu'elles reflètent le consensus le plus étendu possible sur la pensée A.A. Il est impossible de comprendre tout le fonctionnement de A.A. si on n'est pas familier avec toutes ses publications, y compris les brochures, même si à première vue elles ne semblent pas pertinentes aux exigences immédiates de la sobriété. (Une liste de brochures apparaît en dernière page.)

En outre, le Bureau des Services Généraux A.A. publie un bulletin bimestriel, le *Box 4-5-9*, et plusieurs autres périodiques, de même qu'un compte rendu des délibérations de l'Assemblée annuelle de la Conférence des Services Généraux A.A.

Plusieurs membres A.A. commencent et terminent leur journée par un moment de silence réservé à la lecture de quelques pages de littérature A.A. On y réfère comme à une excellente discipline personnelle pour tout alcoolique désireux de se rétablir. Selon un membre: "Il ne saurait être question d'abandonner nos lectures sur A.A. avant de le connaître à fond."

Une lecture attentive de livres et de brochures A.A. équivaut pour plusieurs membres à une "réunion imprimée", et offre un éventail d'information et d'inspiration A.A. à nul autre pareil. Toute consultation écrite ouvre la voie à la pensée A.A. et éloigne d'un premier verre. C'est pourquoi plusieurs membres A.A. se munissent toujours d'un article de littérature A.A., non seulement parce que sa lecture aide à chasser les tentations de boire, mais aussi parce qu'elle permet d'occuper et de délasser l'esprit dans les périodes creuses.

On peut toujours se procurer la littérature en s'adressant comme suit: Service de la Littérature du Québec, 7210, rue St-Denis, Montréal, P. Qué., Canada, H2R 2E2.

"The A.A. Grapevine"*

On appelle ainsi une revue publiée chaque mois et remplie d'humour et d'inspiration A.A. Tous les articles, montages graphiques et caricatures sont l'œuvre de membres A.A. On ne rénumère pas les auteurs de ces articles de même que ceux des multiples illustrations.

On y trouve des sujets de méditation, des anecdotes illustrées, des nouvelles sur la Fraternité A.A. et sur l'alcoolisme en général, des lettres de membres A.A. de tous les points du globe, des articles inspirés (non des poèmes) et, à l'occasion, un exposé sur l'alcoolisme par un spécialiste invité.

Chacun peut s'abonner directement en écrivant à l'adresse suivante*: Box 1980, Grand Central Station, New York, N.Y. 10017., U.S.A.

29 Assister aux réunions A.A.

Bien avant d'avoir même songé à écrire ce livre, des centaines de milliers d'alcooliques avaient découvert et *éprouvé l'efficacité* de chacune des suggestions proposées ici, de même que de plusieurs autres non mentionnées pour parvenir à vivre sobrement. Nous y sommes arrivés non seulement par la lecture mais aussi par des échanges mutuels. En premier lieu, nous avons surtout écouté.

Il vous sera facile d'en faire autant, sans frais et sans aucun "engagement".

Nous nous sommes tout simplement rendus aux réunions des Alcooliques Anonymes. Il s'en tient plus d'un million par année, dans plus de quatre-vingt-dix pays du monde. Et rappelez-vous qu'il n'est pas requis de devenir membres pour assister à une réunion A.A. Si vous désirez seulement vous enquérir au sujet de A.A., vous êtes parfaitement bienvenus aux réunions en observateurs et d'y écouter paisiblement et en silence. Vous n'êtes pas tenus de révéler votre nom et vous pourrez même donner un nom d'emprunt. A.A. est compréhensif et, de toute façon, ne tient aucun régistre de ses membres ou des visiteurs à ses réunions. Vous n'aurez ni à signer votre nom ni à répondre à aucune question.

Vous êtes libres d'en poser, si le cœur vous en dit, bien qu'à leurs premières visites, les gens se contentent d'écouter.

La première fois que vous viendrez à une réunion A.A., vous serez fort surpris, comme tous les autres qui vous ont précédés; la majorité des gens présents vous paraîtront normaux, en santé, relativement heureux et prospères. Ils n'ont pas la mine que les caricatures démodées donnent aux ivrognes, aux clochards ou aux abstinents *secs* et fanatiques.

---

* Il ne s'agit pas ici de "La Vigne A.A." publiée au Québec.

Bien plus, vous ne tarderez pas à découvrir un groupe de joyeux copains, capables de plaisanter, même à leurs dépens. Rien ne vaut l'atmosphère chaleureuse d'une réunion A.A. pour surmonter vos malaises du lendemain et améliorer de beaucoup votre humeur.

Vous pouvez avoir la certitude absolue que chaque membre A.A. présent dans la salle comprend exactement ce que vous éprouvez, parce que nous gardons un souvenir amer de nos malaises des lendemains de la veille comme de notre pitoyable état d'âme lors de notre première présence à une réunion A.A.

Si, tout comme nous, vous êtes timides, plutôt solitaires, vous découvrirez que les membres A.A. sont disposés à vous laisser à votre solitude si vous voulez la conserver et si vous vous y sentez plus confortables.

Néanmoins, il nous est apparu nettement plus avantageux de nous attarder après la réunion pour grignoter et bavarder. Sentez-vous bien à l'aise de vous impliquer dans ce partage social ou dans des confidences plus intimes, suivant vos désirs.

Les différentes sortes de réunions A.A.

Plusieurs membres A.A. des États-Unis et du Canada ont été consultés avant de rédiger ce livre, sur les moyens de ne point boire. Suivant l'opinion générale, le meilleur moyen suggéré pour ne pas boire consiste à fréquenter différentes sortes de réunions A.A. Comme l'écrit un membre, "C'est là où nous puisons mutuellement toute notre inspiration".

Pour demeurer sobres, il vaut mieux bien sûr, fréquenter *des* réunions A.A. plutôt que nous rendre à un bar ou à une réception ou de rester chez soi près d'une bouteille!

Le risque d'échapper à la malaria est moins grand si l'on s'éloigne des marais infestés de moustiques. De même, il est plus facile de ne pas boire à une réunion A.A. qu'à un cocktail.

De plus, les réunions A.A. nous sont un tremplin vers le rétablissement. Comme une réception invite à la consommation d'alcool, ainsi, toutes réunions A.A. proposent la sobriété comme objectif commun. Ici, peut-être plus que partout ailleurs, êtes-vous entourés de gens compréhensifs, susceptibles d'apprécier votre sobriété et de vous suggérer comment la poursuivre. Contrairement à ce que vous voyez dans les bars, vous êtes ici témoins de plusieurs exemples d'alcooliques abstinents, heureux et rétablis.

Nous énumérons maintenant les sortes de réunions A.A. les plus populaires et certains avantages en découlant.

Les réunions de débutants

D'ordinaire, ces réunions sont moins nombreuses que les autres et souvent les précèdent. On y accueille toute personne qui se croit aux prises avec un problème d'alcool. À certaines réunions, on discute suivant un programme établi d'avance sur l'alcoolisme, le rétablissement ou la Fraternité A.A. elle-même. Ailleurs, ces réunions de débutants prennent simplement la forme de questions et réponses.

Les habitués reconnaissent qu'elles sont d'excellentes occasions pour s'informer, se faire de nouveaux amis et commencer à se sentir bien dans sa peau en compagnie d'alcooliques, sans boire.

Les réunions ouvertes (pour tous, alcooliques ou non).

Elle sont un peu plus structurées et ordonnées. Ce sont d'ordinaire deux ou trois membres préalablement invités qui, à tour de rôle, entretiennent le groupe de leur alcoolisme, de leur arrivée à A.A. et de leur rétablissement.

Un tel messager A.A. n'est soumis à aucune règle particulière. En fait, il ne se trouve parmi les membres A.A. qu'un nombre restreint d'orateurs expérimentés. Et même ceux-ci, qui ont l'habitude de la parole à cause de leur profession, évitent soigneusement les envolées oratoires aux réunions A.A. Ils essaient plutôt de raconter leur propre histoire aussi simplement et directement que possible.

Vous ne pouvez manquer d'être impressionnés par la sincérité et l'honnêteté de leur accent. Vous vous surprendrez probablement à rire de bon cœur et à vous dire: "Oui, oui, c'est tout à fait exact."

Ces réunions ouvertes offrent comme principal avantage l'occasion d'entendre un très vaste éventail d'histoires vécues d'alcoolisme. Les symptômes de la maladie y sont décrits de diverses façons, vous aidant ainsi à déterminer si vous en êtes atteints.

Naturellement, les expériences des membres A.A. diffèrent les unes des autres. Vous pourrez parfois entendre une personne évoquer ses breuvages favoris, sa façon de boire et ses problèmes d'alcool (ou les plaisirs de l'ébriété) tout à fait identiques aux vôtres. D'autre part, les péripéties des messages peuvent différer totalement des vôtres. Vous entendrez des gens de divers milieux, occupations et croyances. Chaque membre ne parle qu'en *son* propre nom et n'émet que ses opinions personnelles. Personne ne peut parler au nom de A.A. et personne ne peut imposer à un autre membre ses sentiments ou ses idées. A.A. accueille et reconnaît la diversité des opinions.

Mais si vous portez bien attention, vous pourrez sans doute vous reconnaître des états d'âmes, sinon des événements qui vous sont familiers. Vous allez revivre vos anciennes émotions en écoutant le conférencier, même si sa propre vie diffère radicalement de la vôtre.

Dans A.A., cette ressemblance se désigne comme le "phénomène d'identification avec le conférencier." On n'entend pas signifier que l'âge, le sexe, le style de vie, le comportement, les joies et les ennuis du conférencier sont identiques aux vôtres. On implique plutôt que vous reconnaîtrez chez lui des craintes, des émotions, des inquiétudes et des joies familières, que vous vous rappellerez avoir déjà vous-mêmes vécues.

Vous pourrez être étonnés de ne presque jamais entendre le conférencier A.A. se plaindre d'être privé d'alcool.

Il est moins important, semble-t-il, de s'identifier au passé du conférencier que de s'attarder à certains aspects de sa vie présente. D'ordinaire, il a trouvé ou est sur le point d'atteindre une certaine satisfaction, une paix d'esprit, des solutions à ses problèmes, le goût de vivre et une forme de sérénité que vous désirez aussi. Si c'est votre cas, demeurez avec A.A.., ces qualités y sont contagieuses.

De plus, la seule évocation des souffrances de l'alcoolisme actif nous aide à dissiper tout désir latent de prendre un verre.

C'est à ces réunions que de nombreux membres A.A. ont découvert les moyens indispensables qu'ils recherchaient en vue de leur rétablissement. Après une réunion aussi stimulante et encourageante pour leur sobriété, boire devient pour la plupart des membres la dernière chose au monde qu'ils souhaiteraient faire.

Les réunions fermées de discussion (pour alcooliques seulement ou pour ceux qui cherchent à savoir s'ils pourraient l'être)

Certains groupes A.A. tiennent des réunions de discussion dites "ouvertes", où chacun est admis. Mais le plus souvent, elles sont dites "fermées" et réservées aux membres actuels ou éventuels, en vue de permettre aux participants d'aborder librement tout sujet susceptible d'intéresser ou de préoccuper un buveur maladif. Il s'agit de discussions confidentielles.

Un membre prévenu à l'avance accepte d'inaugurer la réunion par un court témoignage portant sur sa propre vie alcoolique et sur son rétablissement. Ensuite, la réunion se transforme en discussion générale.

Toute personne préoccupée d'un problème particulier, si pénible ou gênant soit-il, peut s'en ouvrir dans une réunion de discussion et entendre les autres membres partager leur expérience relative à une difficulté identique ou semblable. Assurément, on échange aussi les moments de bonheur et de joie. Il ressort de ces discussions qu'aucun alcoolique n'est unique ou isolé.

Il est reconnu que ces réunions servent d'atelier pour apprendre à l'alcoolique à pratiquer la sobriété. Il est certain qu'on peut puiser dans une réunion de discussion un large éventail de suggestions favorisant une sobriété heureuse.

Réunions consacrées aux Étapes

Plusieurs groupes A.A. tiennent des réunions hebdomadaires où les Douze Étapes sont étudiées successivement et deviennent le sujet de la discussion. Certains autres groupes se consacrent à l'étude des Douze Traditions, des Trois Héritages, des slogans A.A. et des sujets suggérés dans la revue mensuelle A.A. "The Grapevine". Mais on élimine rarement les autres questions, surtout celles qui exigent une solution d'urgence à un problème immédiat et personnel d'un membre présent.

Les réunions d'étapes, de concert avec les livres "Alcooliques Anonymes", "Les Douze Étapes" et "Les Douze Traditions A.A." donnent plus facilement accès à une connaissance et à une compréhension véritables des fondements du rétablissement en A.A. Ces rencontres offrent aussi une source fertile d'interprétations originales et de pratiques du programme de base A.A. en démontrant comment il peut nous être précieux non seulement pour demeurer sobres, mais aussi améliorer nos vies.

Congrès et conventions A.A. à l'échelle provinciale, régionale, nationale et internationale.

Ces rassemblements de grande envergure, variant de centaines à plus de quinze milles membres A.A. souvent accompagnés de leurs familles se produisent généralement au cours des fins de semaine et comportent plusieurs sortes de réunions. Normalement, les programmes comprennent des ateliers de discussion sur des sujets variés, des causeries sur l'alcoolisme prononcées par des spécialistes invités, un banquet, une danse, un spectacle et d'autres activités sociales ou récréatives appréciées d'autant plus qu'elles sont dépourvues d'alcool. Ces réunions démontrent qu'il est possible de s'amuser sans boire.

Elles nous procurent aussi l'avantage de rencontrer et de connaître des membres A.A. venant d'ailleurs. Pour plusieurs membres, ces rassemblements deviennent leurs fins de semaines préférées et hautement recherchées en raison de l'expérience incomparable de rétablissement qu'ils procurent. Ils marquent souvent le début de longues et profondes amitiés et se prolongent dans des souvenirs chaleureux venant réchauffer le sombre quotidien.

Faut-il fréquenter ces réunions jusqu'à la fin de nos jours?

Pas du tout, sauf si nous le voulons.

Nous sommes des milliers de membres à nous complaire toujours davantage dans ces réunions au fil de nos années de sobriété. Nous y allons par plaisir, non par devoir.

Il nous faut tous sans cesse manger, respirer, prendre son bain, se laver les dents, et ainsi de suite. Et des millions de personnes persistent, année après année, à travailler, lire, pratiquer des sports de tout genre, fréquenter des clubs sociaux et accomplir leurs devoirs religieux. Donc, notre persévérance à assister aux réunions A.A. n'a rien de bien singulier en autant que nous nous y plaisons et que nous y prenons avantage tout en maintenent l'équilibre dans le reste de nos vies.

Mais la plupart d'entre nous sont plus assidus aux réunions au cours de nos premières années de sobriété. Cette assiduité constitue la base solide d'un rétablissement durable.

De nombreux groupes A.A. tiennent chaque semaine une ou deux réunions (d'une durée moyenne d'une heure ou d'une heure et demie). Et dans A.A., il est largement reconnu qu'un nouveau membre évolue mieux s'il s'astreint aux réunions d'au moins un groupe sans se priver, à l'occasion, d'en visiter d'autres. En plus d'offrir une grande variété d'idées A.A., cette fidélité aux réunions contribue à instaurer dans la vie du membre des mesures de discipline fort utiles pour vaincre l'alcoolisme.

Il nous est apparu assez important, surtout dans les débuts, d'assister religieusement aux réunions, en dépit de toutes excuses susceptibles de nous en éloigner.

Nous devrions être aussi empressés à fréquenter les réunions A.A. que nous l'étions à boire. Un buveur sérieux a-t-il jamais permis à la distance, à la température, à la maladie, aux affaires, à des invités, à une pénurie d'argent, à l'heure ou à tout autre prétexte de le priver de ce verre tant désiré? De même, nous ne pouvons rien tolérer qui nous prive des réunions A.A. si nous voulons vraiment nous rétablir.

Il nous est apparu que les réunions ne servaient pas *uniquement* à résister à la tentation de boire. C'est précisément lorsque nous nous sentons bien et que nous n'avons pas l'intention de boire que les réunions nous sont le plus profitables. Et une réunion ne donnant pas satisfaction complète et immédiate vaut mieux que rien du tout.

En raison de l'importance des réunions, nous avons toujours sous la main une liste des réunions locales et nous ne voyageons jamais à distance sans nous munir d'un des bottins A.A. nous permettant de localiser les réunions et les membres à peu près n'importe où au monde.

Si, par suite de maladie grave ou de catastrophe naturelle, nous ne pouvons absolument pas assister à une réunion, nous avons appris à recourir à des substituts. (Souventes fois et à notre grande surprise, nous avons ouï-dire que des tempêtes de neige dans des régions artiques, des ouragans ou même des tremblements de terre n'ont pas empêché des membres A.A. de parcourir une centaine de milles ou plus pour assister aux réunions. Pour s'acheminer vers une réunion, il est aussi naturel pour certains membres A.A. de voyager en canoë, à dos de chameau, en hélicoptère, en jeep, en camion, à bicyclette ou en traîneau que pour nous d'emprunter l'automobile, l'autobus ou le métro.)

Aux lieu et place d'une réunion devenue inaccessible, nous avons le choix de nous entretenir avec des amis A.A., soit par téléphone ou radio-amateur, ou encore de nous concentrer dans la lecture d'une publication A.A.

À l'intention des centaines de membres A.A. dits "isolés" (comme le personnel des forces armées à l'étranger) et d'un nombre de marins A.A. dits "Internationalistes", le Bureau des Services Généraux A.A. fournit gratuitement des services spéciaux leur permettant de se tenir en relations étroites avec A.A. Ils reçoivent des bulletins et des listes pouvant les mettre en communication avec d'autres membres (par lettre ou cassette) pendant les intervalles où il leur est impossible d'assister à des réunions A.A. régulières.

Mais, laissés à eux-mêmes sans groupe A.A. facilement accessible, plusieurs font mieux et davantage en fondant leur propre groupe.

La question d'argent

L'alcoolisme est dispendieux. Même si A.A. n'impose ni cotisation ni honoraires, nous avons déjà, avant même d'y être arrivés, acquitté de lourdes "contributions" aux débits d'alcool et aux commis de bar. En conséquence, plusieurs d'entre nous arrivent au Mouvement presque sans le sou, si ce n'est lourdement endettés.

Le plus tôt nous pourrons nous suffire à nous-mêmes, le mieux ce sera. Nos créanciers consentent presque toujours à nous soutenir lorsqu'ils constatent l'effort honnête et continu consacré à nous affranchir, même au moyen de versements infimes.

Nous avons pris conscience, dès nos premiers jours de sobriété, qu'en sus des frais essentiels de la nourriture, du vêtement et du logement, une dépense de nature particulière s'imposait. Un membre A.A. nous a permis de reproduire en ses propres termes son

Conseil de placement

Durant les premières semaines sans alcool
Alors que roupillant, vous gisez au sol,
Que le shérif à la fenêtre vous épouvante
Et que la faim tel un loup vous hante,
Que la vie semble terne et désespérée,
De l'angle monétaire considérée!...
Il est temps de *dépenser* de certaine manière
Pour sortir de cette terrible ornière.
Ce billet d'autobus ou ce jeton
Vous amenant à une réunion,
Ce dix cents investi dans un appel
Pour recevoir un appui fraternel,
Ce cinq cents pour de menues dépenses
Qui, malgré tout, vous donne de l'importance,
Ce dollar déboursé au restaurant
Après les réunions en partageant
Sont tous des placements judicieux
Au néophyte un rien ingénieux.
Ce pain lancé au gré des eaux
Toujours vous revient en gâteau...

30 Pratiquer les Douze Étapes

Comme le disait le vieux médecin de campagne, ''quand tout échoue, conformez-vous aux ordonnances''.

Nous n'avons pas mentionné ici les Douze Étapes proposées par A.A. comme programme de rétablissement de l'alcoolisme, et nous n'allons pas les énumérer ou les expliquer, sachant qu'il est facile à tout intéressé de les repérer. Leur origine est notoire.

En 1935, deux hommes se rencontraient à Akron, en Ohio. Tous deux étaient considérés comme des ivrognes invétérés et causaient la honte de ceux qui les avaient connus. Le premier avait été jadis un gros bonnet de Wall Street, et l'autre, un éminent chirurgien; mais l'un et l'autre s'étaient pratiquement faits mourir à boire. Chacun avait subi de nombreuses "Cures" et avait été hospitalisé tant et plus. Il semblait évident, même à leurs yeux, qu'ils étaient incurables.

C'est en apprenant à se connaître que, presque accidentellement, ils constatèrent avec stupéfaction qu'aussitôt que l'un d'eux essayait d'aider l'autre, la sobriété en résultait. Ils firent part de leur découverte à un avocat alcoolique confiné sur un lit d'hôpital qui décida aussi de l'éprouver.

Chacun de leur côté, tous trois ont persévéré à porter secours à d'autres alcooliques. S'il arrivait parfois que des gens refusent leur aide, ils demeuraient néanmoins convaincus que leur effort était fructueux en ce que chaque fois, le soi-disant secoureur demeurait sobre, même si le "bénéficiaire" continuait de boire.

Persistant dans ces activités pour leur propre avantage, cette petite troupe sans nom d'ex-ivrognes découvrit soudainement en 1937 qu'ils étaient vingt à être sobres. On ne peut les blâmer d'avoir cru au miracle.

Ils ont convenu qu'il leur fallait rédiger un rapport de leur expérience pour lui assurer une large diffusion. Mais, comme vous le pensez bien, ils éprouvèrent de sérieuses difficultés à s'entendre sur la nature exacte de ce phénomène vécu. Ce n'est qu'en 1939 qu'ils purent publier un récit auquel ils pouvaient tous souscrire. À ce moment-là, ils étaient environ une centaine.

Ils racontèrent que la voie de leur rétablissement comportait douze étapes aptes à conduire à la même destination celui qui voudrait l'emprunter.

Leur nombre dépasse maintenant le million. Et ils sont presque unanimes dans leur conviction: "L'expérience vécue démontre qu'on ne saurait mieux s'immuniser contre l'alcool qu'en aidant inlassablement d'autres alcooliques. Ce moyen réussit quand tous les autres échouent."

Nous avions longtemps lutté contre l'alcool. À plusieurs reprises, nous avons essayé d'arrêter de boire à tout jamais pour recommencer tôt ou tard et nous retrouver aux prises avec des difficultés croissantes. Mais ces Douze Étapes A.A. nous indiquent la voie du rétablissement; grâce à elle, nous sommes maintenant dispensés de lutter. Et, elle est disponible à tous ceux qui veulent s'y engager.

Des centaines n'avaient qu'une vague idée de ce qu'était la Fraternité A.A. avant d'y venir. Nous avons parfois l'impression qu'il circule plus d'inexactitudes que de vérités au sujet d'A.A. À moins que votre information ne vienne directement de A.A., nous pouvons facilement comprendre les impressions fausses et déformées que vous avez pu recueillir pour en avoir été nous-mêmes victimes.

Heureusement, vous n'avez pas à vous laisser tromper par ces erreurs et potins puisqu'il vous est permis de découvrir par vous-mêmes l'authentique Fraternité A.A. Les publications A.A. (voir chapitre 28) et tout bureau ou lieu de réunion dans votre voisinage (consultez votre annuaire téléphonique) sont des sources autorisées d'informations qui en ont surpris plusieurs d'entre nous. Vous n'avez pas à vous contenter de ouï-dire, l'information directe et gratuite est à votre portée, vous permettant de vous former votre propre opinion.

Pour se faire une image fidèle de la Fraternité A.A., il peut être très utile de la considérer sous l'angle de la force de volonté. Il est reconnu que les alcooliques sont dotés d'une volonté inébranlable. Songez aux moyens que nous pouvions inventer pour nous procurer un verre en dépit de tous les obstacles apparents. Rien que pour s'arracher du lit, certains matins lorsque l'estomac est rouillé, la bouche, pâteuse et la chevelure, douloureuse, il faut déployer une ténacité insoupçonnée des non-buveurs. Et, une fois debout, la tête bien en place, nous devions faire appel à une ténacité plus grande encore pour la transporter la journée durant. Sans contredit, les véritables buveurs disposent d'une puissance de volonté incontestable.

Nous avons tout simplement appris à engager cette volonté au service de notre santé et à explorer en profondeur les possibilités de rétablissement même si ces efforts nous ont semblé à certains moments très pénibles.

Vous serez rassurés de savoir que les membres A.A. ne cherchent pas à vous interroger. Nous vous donnons souvent l'impression de vous écouter d'une oreille distraite pour ensuite vous inonder des péripéties intarissables de notre propre maladie. Si nous vous parlons ainsi d'abondance, c'est que ce faisant, nous recherchons aussi notre rétablissement personnel. Nous voulons bien vous aider, mais seulement si vous le désirez.

Suivant l'avis de certains psychologues avisés, l'usage abusif de l'alcool résulterait d'un trouble caractérisé par l'égocentrisme. Tous les alcooliques n'en sont pas affectés même si la plupart d'entre nous s'en sont trouvés marqués. Certains autres se sentaient généralement affectés d'un complexe d'infériorité, qui se changeait en un sentiment d'égalité ou de supériorité uniquement sous l'influence de l'alcool.

Indépendamment de notre personnalité, nous reconnaissons maintenant que nous étions extrêmement égocentriques, principalement intéressés par *nos* sentiments, *nos* problèmes, l'attitude des gens envers *nous, notre* passé et *notre* avenir. Nous tourner vers les autres en dialoguant et en les aidant représente donc pour nous un moyen de nous rétablir, parce qu'il nous distrait de nous-mêmes. Nous porter au secours des autres nous est un remède efficace, même si la sincérité n'y est pas entière. À vous d'en faire un jour l'essai...

Si vous êtes vraiment attentifs aux propos de votre interlocuteur, vous découvrirez qu'il s'est subrepticement glissé dans votre esprit et semble y décrire vos pensées, à savoir: les formes mouvantes de vos craintes mystérieuses, la couleur et la froideur d'un destin menaçant, sinon les événements et les mots précis enfouis dans votre esprit.

Que cette expérience se produise ou non, vous aurez sûrement l'occasion de rigoler en compagnie des membres A.A. qui, en plus, vous transmettront quelques suggestions pour vivre sobrement. Libre à vous d'en faire votre profit.

Quelle que soit votre décision, rappelez-vous qu'il a été profitable à notre rétablissement de mettre ces suggestions à votre disposition.

31 Savoir s'orienter

Nous espérons avoir clairement démontré que nous considérons l'alcoolisme comme un sujet sérieux. Il mérite et reçoit notre attention la plus vigilante. Nous ne trouvons pas drôles les plaisanteries faites aux dépens des buveurs maladifs, sauf celles que nous faisons à notre détriment, en raison de notre sobriété. Nous ne trouvons rien d'amusant lorsque quelqu'un, pour nous taquiner, menace de s'enivrer, pas plus que s'il plaisantait au sujet de la roulette russe.

Même si nous considérons sérieusement l'acloolisme, vous aurez l'occasion de constater que nous pouvons aborder notre passé et notre rétablissement avec humour et détachement. Cette approche nous semble saine. Mais, elle n'affecte en rien notre résolution de recouvrer et de conserver la santé.

La plupart d'entre nous ont frôlé la mort de près. Nous avons enduré des souffrances inouïes. Mais nous avons aussi connu ce genre d'espoir qui vous met le cœur en fête. Ce livre, nous l'espérons, vous aura plus stimulé que déçu. Si vous êtes un buveur maladif, vous en savez déjà assez long sur la souffrance et la solitude. Nous aimerions vous souhaiter la paix et la joie que nous avons trouvées en faisant face à la réalité de la vie, l'esprit clair et le cœur courageux.

Il ne fait aucun doute que nous sommes à peine lancés dans l'aventure de la sobriété. De jour en jour, nous découvrons des idées nouvelles et profitables.

En persévérant dans la sobriété, vous découvrirez par vous-mêmes des formules inédites, espérons-nous. De même, nous souhaitons que vous en ferez profiter les autres par le partage. (Il faut vous rappeler qu'il vous sera profitable à vous aussi.) Plus grande sera l'expérience ensemble accumulée, plus nombreux seront les buveurs secourus.

Certains ont une ou deux rechutes avant de prendre pied fermement dans la sobriété. Advenant ce cas, ne désespérez pas. Parmi les membres qui ont ainsi failli, nombreux sont ceux qui ont finalement atteint une sobriété sereine. Gardez en mémoire que l'alcoolisme est une condition humaine extrêmement grave, que les rechutes sont possibles aussi bien dans cette maladie que dans les autres, sans interdire la perspective d'un rétablissement.

Si, malgré certains échecs, vous aspirez toujours à vous rétablir et à rechercher de nouveaux moyens de réussir, nous demeurons convaincus, de par notre expérience, que vous avez choisi, en compagnie de centaines de milliers d'alcooliques, la voie d'une destinée heureuse et florissante. Nous espérons vous accueillir parmi nous.

Mais quelle que soit votre route, avec ou sans nous, nos vœux les plus ardents vous accompagnent.

LISTE PARTIELLE DES
PUBLICATIONS A.A.
distribuées par le
SERVICE DE LA LITTÉRATURE A.A.
DU QUÉBEC

ALCOOLIQUES ANONYMES
LES 12 ÉTAPES
VOICI A.A
44 QUESTIONS & RÉPONSES
A.A. EST-IL POUR VOUS?
L'ÉPOUX ALCOOLIQUE
L'ÉPOUSE ALCOOLIQUE
LE MEMBRE A.A. & L'ABUS DES DROGUES
COOPÉRONS AVEC NOS AMIS
QUESTIONS & RÉPONSES SUR LE PARRAINAGE
LES JEUNES ET A.A.
A.A. ET LA PROFESSION MÉDICALE
PARTENAIRES DANS A.A.
LA TRADITION A.A. & SON DÉVELOPPEMENT
LES DOUZE TRADITIONS A.A.
ALICE L'A TROUVÉE
JOS LEVAIT LE COUDE
L'EMPLOYÉ ALCOOLIQUE
A.A. DANS VOTRE MILIEU
PROBLÈMES AUTRES QUE L'ALCOOLISME
POINT DE VUE D'UN MEMBRE SUR A.A.
LES DOUZE TRADITIONS ILLUSTRÉES
NOTRE MÉTHODE
A.A. DANS LES PRISONS
A.A. DANS LES HÔPITAUX
GUIDE ABRÉGÉ
A.A. & LA RELIGION
BIOGRAPHIES DES CO-FONDATEURS
LES 12 CONCEPTS
LE SENS DE L'ANONYMAT
TROIS CAUSERIES À DES SOCIÉTÉS MÉDICALES
Y A-T-IL UN ALCOOLIQUE DANS VOTRE VIE?
SI VOUS ÊTES UN PROFESSIONNEL
CINQ ARTICLES DE BILL
TROP JEUNE
L'HÉRITAGE DE SERVICES A.A.
VOUS CROYEZ-VOUS DIFFÉRENT?
LETTRE À UNE FEMME ALCOOLIQUE

●

LE SERVICE DE LA LITTÉRATURE A.A.
DU QUÉBEC

7210, rue Saint-Denis
Montréal, P.Q. Canada H2R 2E2